17 EN ZWANGER

VAN TIENER NAAR VOLWASSENE IN 9 MAANDEN?

ELLEN VAN STICHEL EN KATLEEN ALEN

 LANNOO

INHOUD

INLEIDING

17 en zwanger... Het zal je maar overkomen, zwanger worden terwijl je zelf nog als een kind gezien wordt. Plots staat je hele wereld op zijn kop en zie je je toekomstplannen in duigen vallen. Of misschien ben je wel heel blij. Maar wat zullen 'de mensen' denken? Voor je ouders lijkt het misschien een ver-van-mijn-bedshow, want 'mijn kind overkomt dat niet' – althans dat hopen ze, maar wat als het plots toch gebeurt? Je vriend is wellicht ook erg geschrokken en je bent misschien bang voor zijn reactie. Je zussen en broers, vrienden en vriendinnen vragen zich af hoe je zo stom hebt kunnen zijn! Buitenstaanders uit je omgeving vangen wellicht allerlei verhalen op over tienerzwangerschap en tienermoeders via de media. Ook zij hebben misschien hun bedenkingen over 'de jeugd van tegenwoordig' of ze vragen zich af of het wel altijd zo dramatisch is.

Hoe zit het nu precies met tienerzwangerschappen in Vlaanderen? Het begrip 'tienerzwangerschap' verwijst naar zwangere meisjes met een leeftijd van 10 tot 21 jaar. De recentste beschikbare cijfers over tienerzwangerschappen (abortussen en bevallingen) in Vlaanderen dateren van 2009. In dat jaar werden 2458 Vlaamse tieners zwanger. Bijna de helft, namelijk 1050 meisjes, koos voor abortus – waarvan 25 meisjes tussen 10 en 14 jaar en de overgrote meerderheid tussen 15 en 19 jaar. Omgekeerd betekent dit dat er 1408 bevallingen bij tienermeisjes waren. Anders gezegd: per 1000 meisjes tussen 15 en 20 jaar werden iets meer dan 7 meisjes moeder, of: 1 op de 140 kreeg een kind. Deze 0,7% ligt sterk onder het Europese gemiddelde, want dat is 1,3 tot 1,5%.

De bevallingscijfers voor 2010 – de abortuscijfers zijn nog niet gekend – vertonen een dalende trend: in dat jaar werden 1228 meisjes onder de 20 jaar moeder, 6,8 op de 1000 dus, of 1 op de 150. Waar dit bevallingscijfer de laatste jaren min of meer gelijk blijft, vertonen vooral de tweede en derde geboortes een stijgende trend: 13% van de tienermoeders kreeg voor hun twintigste een tweede of derde kind. Meisjes die al een kind hebben, hebben bijgevolg meer kans om opnieuw als tiener te bevallen. Ondanks de perceptie dat tienerzwangerschap vooral erg jonge meisjes treft, blijkt uit deze cijfers dat een zwangere tiener doorgaans ouder is dan 15 jaar. De overgrote meerderheid van de tienermoeders is meerderjarig, want in 2009 en 2010 waren er respectievelijk 12 en 9 tieners die voor hun vijftiende moeder werden en 300 waren minderjarig. Een tienermoeder is bijgevolg gemiddeld 18,5 jaar wanneer ze bevalt. Dus 17 wanneer ze zwanger is!

In vergelijking met andere landen blijft het aantal tienerzwangerschappen in Vlaanderen vrij beperkt. Wanneer ongeveer de helft van de zwangerschappen eindigt in een abortus, blijken tienermoeders een eerder beperkte groep van de maatschappij. Toch is het een groep die heel wat stof doet opwaaien, omwille van de vooroordelen die errond leven. In de publieke opinie groeit hierdoor mogelijk de ongerustheid over het aantal tienermoeders en de situatie waarin zij zich bevinden. Het feit dat tienerouderschap argwaan wekt en als een probleem ervaren wordt, legt volgens ons enkele maatschappelijke ideeën bloot over tieners enerzijds en ouderschap anderzijds. De gemiddelde leeftijd waarop vrouwen in België zwanger worden, is 28 jaar, meteen een mogelijke hinderpaal voor een meer genuanceerde visie op tienerouderschap: wie ruim tien jaar eerder dan de gemiddelde leeftijd zwanger wordt, blijkt meteen 'abnormaal'. Daarnaast zijn er de ideeën over wat het betekent om een goede en verantwoorde moeder of ouder te zijn. Zoals het idee dat moeder- of ouderschap bepaalde eigenschappen en vaardigheden vergt die eigen zijn aan volwassenen zoals bedachtzaamheid, langetermijndenken en je kind op de eerste plaats kunnen zetten. Die zouden niet stroken met de eigenschappen van de adolescentie, zoals impulsiviteit, kortetermijnvisie en egocentrisme. Of het idee dat een duurzame relatie en ouderschap onmogelijk kunnen samengaan op die jonge leeftijd: tieners die samen een kind krijgen, lijken in deze visie gedoemd tot mislukking in hun relatie. Of de vaste overtuiging dat zwangere tieners hun jeugd vergooien, hun school per definitie niet afmaken en daarmee hun toekomst en die van hun kind(eren) verkwanselen. Of de vooronderstelling dat een 'goede' afronding van de puberteit een noodzakelijke voorwaarde is om tot een mature volwassene uit te groeien. Of de bezorgdheid om de mogelijke gevolgen voor kinderen van tienerouders: kan dat goed aflopen? En natuurlijk de vraag hoe het zo ver kan komen, gezien de huidige mogelijkheden tot preventie van zwangerschap. Paradoxaal genoeg is er een maatschappelijke aanvaarding van de seksuele activiteit van jongeren, waarbij de leeftijd van het eerste seksuele contact steeds verder daalt. Maar de verantwoordelijkheden die deze relaties met zich meebrengen wanneer anticonceptie faalt (al dan niet door foutief of onzorgvuldig gebruik) of wanneer tieners bewust van deze relaties gebruikmaken om hun zwangerschapswens op jonge leeftijd te vervullen, lijken taboe of zijn enkel in termen van vooroordelen bespreekbaar.

Reeds tien jaar heeft het centrum voor Relatievorming en Zwangerschapsproblemen (cRZ) een Jong & Moeder-werking ter ondersteuning van tienermoeders. Tien jaar geleden bleek er nood aan lotgenotencontact onder tienermeisjes die kozen voor

9

het moederschap. Na een aantal bijeenkomsten in een praatgroep zijn onze weekends voor tienermoeders ontstaan. Zodoende konden meisjes uit heel Vlaanderen aansluiten en creëerden we een diepgaandere dynamiek. Op termijn groeide de vraag om ook vaders of nieuwe partners te laten deelnemen. Dit resulteerde in de organisatie van een jaarlijks tienerouderweekend, met als gevolg een evolutie van de Jong & Moeder-werking naar de Jong & Ouder-werking. Zwangere tieners die worstelen met de keuze waarvoor zij staan, met name al dan niet behoud van hun zwangerschap en/of hun kind, begeleiden wij in hun beslissingsproces. Tieners die kiezen voor het moeder- of vaderschap, evenals hun ouders staan we bij met informatie, advies of steun. Het idee voor dit boek kwam voort uit de viering van het tienjarig bestaan van dit initiatief. Centraal in onze werking is het zoeken naar ondersteuning en begeleiding van tienerouders en hun omgeving om hun op die manier alle mogelijke groeikansen te bieden, zonder daarbij tienerzwangerschap als dusdanig te problematiseren. Gezien de – vaak negatieve – perceptie van tienerouders en hun omgeving in de publieke opinie, willen wij vanuit onze ervaring een ander licht werpen op deze tieners. Niet om tienerouderschap te verheerlijken alsof het voor meisjes vanzelfsprekend zou leiden tot een mooiere en betere toekomst en dus gepromoot moet worden. Ook niet om het ouderschap als enig alternatief voor te stellen aan elke zwangere tiener alsof abortus, maar ook alternatieven als adoptie en pleegzorg, geen goede keuze kunnen zijn voor hen die met een ongeplande zwangerschap geconfronteerd worden. Wel beogen we het thema van tienerouderschap in zijaanzicht te bekijken, waarbij er ruimte is om een genuanceerd beeld te schetsen door zowel de fraaie als minder fraaie aspecten, de moeilijkheden, maar ook de groeikansen van tienerouders te ontvouwen – en daarmee ook de ontwikkelingskansen van hun kinderen. Op die manier kunnen bepaalde taboes rond tienerouderschap doorbroken worden. Maar evenzeer kunnen tienerouders zo enigszins genormaliseerd worden: op heel veel vlakken zijn het én gewone tieners, én gewone ouders. Vandaar ook de vraag: vindt er werkelijk een plotse overgang plaats van tiener naar volwassene in negen maanden?

Hoe kunnen we dit beter doen dan hen zelf aan het woord te laten, door hun vaak ongehoorde stem te laten klinken? De keuze voor een 'belevingsboek' was dan ook vanzelfsprekend. We willen hun de kans geven om hun verhaal te doen. Om de beleving van tienerouderschap zo goed mogelijk in kaart te brengen kozen we ervoor om niet alleen tienermoeders te interviewen, maar ook hun omgeving te bevragen. Zo komen naast de heel verschillende tienermama's (een meisje is nog zwanger op het moment van het interview, anderen werden vijftien of zelfs dertig jaar geleden tienermama) ook tienervaders, ouders van tienerouders, pleegouders, een nieuwe partner, een zus, een leerkracht en een vriendin aan bod. Ten slotte proberen we aan de hand van verschillende thema's de leefwereld van tienerouders en hun omgeving te beschrijven. Naar analogie met de verschillende fases in de zwangerschap komen aspecten als de ontdekking van de zwangerschap, de eerste reactie van de directe omgeving, de beslissingsfase, de zwangerschap, het ouderschap en het partnerschap aan bod. In een afsluitende reflectie laten we sommige van hen terugblikken op het verleden, vanuit het heden, met het oog op de toekomst.

Als dit boek ons iets leert, is het wel dat tienerouders niet als een homogene groep beschouwd kunnen worden. Dé tienerouder bestaat niet en een eerste stap in het doorbreken van taboes en vooroordelen rond deze groep jongeren is hen in hun uniek-zijn te bevestigen. Door hen op verhaal te laten komen...

Soms kan het gebeuren
dat je binnen mag
in de wereld
van een ander

je wordt dan
stil vanbinnen
een beetje verlegen
om zoveel vertrouwen

dankbaar
om het wonder
van ontmoeting
naar de binnenkant

waar kwetsbaarheid
aanvaard is
en de kracht ontstaat
voor opstanding

Uit: Trees Dehaene, *Ruimte voor het onverwachte*

WIE IS WIE?

We hebben er bewust voor gekozen om de inbreng van de geïnterviewden anoniem te houden, behalve wanneer het hun uitdrukkelijke vraag was om met hun echte namen opgenomen te worden.

Roos, 19 jaar, was zwanger op haar zestiende en is mama van haar driejarig zoontje Bjorn. De biologische papa, toen achttien jaar, verbrak hun relatie zes maanden na Bjorns geboorte. Hij heeft nu bezoekrecht. Roos woont samen met Bjorn bij haar moeder en zus in. Haar ouders zijn gescheiden en soms woont ze ook bij haar vader. Bjorn gaat elke twee weken op bezoek bij zijn papa die ook bij zijn ouders inwoont. Momenteel maakt Roos zich zorgen over het naderende co-ouderschap.

Pauline en Joeri zijn respectievelijk zeventien jaar en achttien jaar. Op het moment van het interview was Pauline acht maanden zwanger van haar eerste kindje uit een vorige relatie. Zij wilde het kindje houden, maar haar partner heeft zich later in de zwangerschap teruggetrokken. Omwille van hun onzekere relatie heeft Pauline heel lang getwijfeld of ze haar kindje zou houden of niet. Toen ze vier maanden zwanger was, ontmoette ze echter Joeri, die de rol van 'papa' bewust op zich wil nemen. Een maand na ons interview beviel Pauline en zij zijn nu de trotse ouders van een zoontje.

Anne is 24 jaar en werd op haar achttiende ongepland zwanger van haar toenmalige vriendje. Na drie vals-negatieve zwangerschapstesten ging ze naar de dokter. De arts dacht toen dat de wettelijke termijn voor een abortus al verstreken was, dus een echte beslissingsfase is er voor Anne nooit geweest. Ze heeft het eerste anderhalf jaar alleen voor haar zoontje gezorgd. Nu woont Anne alleen en hebben haar ouders het pleegouderschap voor haar zoontje op zich genomen. Twee dagen per week zorgt ze voor Bas in het ouderlijk huis. Anne heeft haar studies stopgezet en hoopt nu een bedrijf te starten. Haar grootste droom is Bas weer bij zich te hebben. Met de biologische vader is er geen contact meer.

Tess is een goede vriendin van Anne. Ze hebben elkaar ontmoet in het eerste jaar hoger onderwijs. Ze waren toen achttien jaar. Als de toeverlaat van Anne was Tess de eerste die op de hoogte was van de zwangerschap. Tess heeft samen met Anne de zwangerschap beleefd, wat de 'prille' vriendschapsband heeft versterkt.

Amy is negentien jaar en werd de eerste keer ongepland zwanger toen ze veertien (bijna vijftien) jaar was, van haar toenmalige vriend Simon, die elf jaar ouder was. De zwangerschap werd ontdekt tijdens een echografie naar aanleiding van een chronische nierontsteking. Hun zoontje Jasper kreeg twee jaar later ook een broertje, maar dit was gepland. Uiteindelijk is het tussen Amy en Simon tot een breuk gekomen. Maar Amy heeft intussen een nieuwe partner van wie ze op het ogenblik van het interview 25 weken (ongepland) zwanger is. Ze is gestopt met haar studies en wil deze na haar derde zwangerschap hervatten. Haar droom is vroedvrouw worden.

Aya is de tienermama van Cliff, een jongetje van anderhalf jaar. Zij werd zwanger op haar zestiende en vormt intussen, na een tijdelijke breuk, opnieuw een gezin samen met de vader van Cliff.

Alexia was 16 toen haar eerste kind, Mila, geboren werd. Tijdens haar zwangerschap verbrak zij de relatie met de papa, Stijn, omdat zij het gevoel had dat hij niet geïnteresseerd was. Onder druk van zijn moeder heeft Stijn echter besloten de vaderrol op zich te nemen – zelfs in die mate dat hij Mila van Alexia afneemt. Er is een gerechtelijke procedure geweest, waarna hun dochter onder toezicht van de jeugdrechter geplaatst is. Mila, intussen 1 jaar, mag wel bij Alexia wonen en Stijn heeft bezoekrecht. Om die reden woont Alexia in een Centrum voor Integrale Gezinszorg, samen met haar nieuwe vriend van wie ze intussen ook een kindje verwacht.

Sarila, 21 jaar, heeft een zoontje van één jaar en drie maanden en een dochtertje van drie maanden. Ze is van Turkse origine en verblijft in een Centrum voor Integrale Gezinszorg, samen met haar kinderen. Ze kreeg geen steun van haar familie en haar partner, integendeel, ze is zelfs geconfronteerd met intrafamiliaal geweld en partnergeweld. Ondanks haar moeilijkheden kiest ze bewust voor het jonge moederschap, tot tweemaal toe.

Evelien en Hendrik werden op hun zestiende tienerouders van Xavier. Twee jaar later vormen ze nog altijd een koppel, maar gezien hun leeftijd wonen ze nog niet samen. Evelien woont samen met Xavier in bij haar vader. Met praktische, emotionele en financiële steun van thuis willen ze eerst hun studies afmaken vooraleer hun gezamenlijke toekomst verder uit te bouwen. Intussen delen beiden de zorg voor Xavier, want Hendrik komt heel vaak op bezoek om zich over hun zoon te ontfermen.

Elien werd ongepland zwanger op haar zestiende en is intussen mama van de drie maanden jonge Kenji.

Myriam en Eric en hun volwassen zoon **Vic** kijken terug op dertig jaar huwelijk. Myriam was zestien toen ze met Eric huwde.

Enkele maanden later (op haar zeventiende) beviel ze van Vic. Eric was toen negentien jaar. Ondertussen is hun dertigjarige zoon ook zelf papa van een zoontje van bijna twee jaar. Myriam en Eric kregen nog twee kinderen, intussen reeds twintigers. Lotte is 28 jaar en sinds kort zelf mama, en Hans is nu 25 jaar. Van hen kregen we voornamelijk een beschouwende terugblik op hun pijnlijke persoonlijke geschiedenis als tienerouders. Ze zochten zelf contact met het cRZ om hun verhaal te doen in de hoop daarmee jonge tienerouders te kunnen steunen.

Ellen was twintig jaar toen ze beviel van Cédric. Nu doet ze haar verhaal als 32-jarige. Ze raakte ongepland zwanger toen ze in haar laatste jaar secundair onderwijs zat. Mario is de vader, met wie ze op dat moment nog maar enkele maanden een relatie had. Ze kozen er samen voor om het kindje te houden en gingen daarom al snel samenwonen. De geboorte van Cédric bracht intense moedergevoelens teweeg bij Ellen. Cédric maakte van haar een ander persoon, want daarvoor was ze naar eigen zeggen een moeilijke puber die vooral met zichzelf bezig was. Na een jaar besloten ze dat Cédric een broertje of zusje moest krijgen. Het werd een broertje: Marnick. Ondertussen kregen ze meer financiële ademruimte en enkele jaren later kregen ze nog twee zonen, Milan en Joran. Ook Ellen heeft zelf contact gezocht met het cRZ om haar verhaal te doen ter ondersteuning van lotgenoten.

Maaike is achttien als ze zwanger wordt. Toen woonde ze bij haar vader, maar daar is ze niet langer welkom. Ze gaat een tijdje bij haar moeder wonen, maar wordt er verwaarloosd tot ze uiteindelijk bij haar oma gaat wonen. Ze bevalt van een dochtertje en blijft er wonen tot die acht maanden oud is. Vooral financieel kent ze daar moeilijkheden en ze verhuist naar een CIG (Centrum voor Integrale Gezinszorg) waar ze meer dan een jaar verblijft. Intussen is Maaike 22 jaar en verblijft ze in psychiatrie, haar dochtertje woont al twee jaar in een pleeggezin.

Marie was zestien toen ze een koppel vormde met Carlo die tien jaar ouder was. Enkele jaren later planden ze samen bewust haar zwangerschap. Op haar negentiende beviel Marie van hun eerste zoontje, Matteo, die drie jaar later grote broer werd van Lennert. Ze vormen samen een gezin, maar door de gezondheidsproblemen van hun tweede zoontje komen ze in financiële moeilijkheden.

Marianne werd op haar 41ste onverwachts oma van Alice doordat haar tienerdochter Lenthe beviel op haar zeventiende. Alice is intussen veertien maanden en Marianne is ook nog mama van Lars (zestien jaar), Nore (negen jaar) en Ona (acht jaar). Haar tienerdochter woont samen met haar dochter Alice in bij Marianne en haar broer en zusjes. In eerste instantie wou ze dat Lenthe voor abortus zou kiezen, maar uiteindelijk heeft ze de keuze aan haar dochter overgelaten. En aangezien ze toch bij haar inwonen, vindt ze het enorm belangrijk dat het hele gezin sterk betrokken is bij de zwangerschap en het prille (groot)ouderschap.

Linda en Marcel zijn de ouders van tienermoeder Lien, die acht jaar geleden op haar achttiende beviel van Lucas. Lien werd ongepland zwanger en ontdekte haar zwangerschap naar aanleiding van een snowboardongeval op schoolvakantie. Linda en Marcel stimuleerden hun dochter het kind te houden en omringden haar met hun zorgen. Ook de ouders van haar toenmalige vriend, Jo, steunden deze keuze – ook toen de relatie beëindigd werd. Daarbij kreeg Lien ook voldoende tijd en ruimte om nog jong te zijn en haar studies af te maken. Ze heeft intussen een nieuwe relatie en Lucas wordt in goed overleg opgevangen door zijn mama en haar nieuwe vriend, door zijn papa die bij zijn ouders inwoont en door zijn grootouders langs beide kanten.

Eva en Jef zijn een nieuw samengesteld gezin met twee zonen uit het eerste huwelijk van Eva (25 en 24 jaar) die het huis uit zijn en hun dochter **Louise** van veertien. Langzaamaan groeide het idee om pleeggezin te worden. Via een collega hoorden ze het verhaal over Esma en haar zoontje Rik. Esma is een Mongoolse die zestien was toen ze alleen en hoogzwanger via mensenhandelaars in België terechtkwam. Ze verloor in haar thuisland haar ouders, en de vader van haar kindje, met wie ze in Mongolië een relatie had, is vermoord. Ze verblijft in een voorziening voor niet-begeleide minderjarige vreemdelingen te Brussel. Als pleegzorg start, is Esma zeventien jaar en haar zoontje Rik zeven maanden.

Els is leerkracht en coördinator van de derde graad in het middelbaar beroepsonderwijs in Antwerpen. In deze functie fungeerde zij meermaals als vertrouwenspersoon voor zwangere leerlingen op school die uiteindelijk allen voor een zwangerschapsafbreking kozen. Vanuit haar ervaring heeft zij ook een uitgesproken mening over relationele en seksuele vorming bij tieners.

Hannelore, negentien, is de oudere zus van een tienermoeder. Haar zus zat nog op dezelfde middelbare school als zij toen ze zwanger werd. Door de relatie van haar zus met de vader was hun band minder sterk geworden, maar die is intussen opnieuw gegroeid doordat haar zus weer thuis woont. Samen met hun moeder en haar nichtje Luna vormen ze momenteel een gezin. Beide zussen hebben ook een vriend.

HOOFDSTUK 1

'IK BEN ZWANGER': HELP, HOERA OF IETS ERTUSSENIN?

Ik was net zestien toen ik ontdekte dat ik zwanger was. Het was een hele klap...

De eerste reactie van de meeste tieners die ontdekken dat ze zwanger zijn, is: Help! Net zoals bij Aya is een meerderheid van de tienerzwangerschappen immers ongepland en overvalt de situatie hen onverwacht. Misschien geven meisjes wel blijk van een – al dan niet vage – kinderwens, maar toch betekent dit niet dat ze bewust bezig zijn met een mogelijke zwangerschap. Integendeel vaak. Amy bijvoorbeeld, was wel van kleins af aan gek op kinderen, maar op het moment dat ze op veertienjarige leeftijd zwanger bleek, had ze geen enkele concrete kinderwens. Ze zou in andere omstandigheden liever nog wat gewacht hebben. En Pauline had als kind wel het idee om op jonge leeftijd moeder te worden, maar heeft dit nooit gekoppeld aan een actieve kinderwens.

Toen ik klein was, zei ik wel: 'Ik wil vroeg aan kinderen beginnen.' En dat heeft altijd wel door mijn hoofd gespeeld, maar ik heb nooit effectief gedacht: Oké, nu wil ik het. Als ik nu een vriend gevonden had, bij wie ik het gevoel had dat het voor eeuwig zou zijn, dan had ik het misschien bewuster in overweging genomen om jong zwanger te worden.

Maar dat was nu niet het geval, helemaal niet eigenlijk. Mijn vriend en ik waren vijf maanden samen toen een zwangerschapstest op vakantie positief bleek en ik vijf weken zwanger was. Ik wist dan ook niet hoe ik moest reageren. Er gaat van alles door je hoofd en je weet het niet goed op dat moment. Ook vraag je je af of de uitslag van de test wel juist is. Later was ik er vrijwel zeker van, omdat ik ook alle symptomen van zwangerschap had. Toen de verwarring voorbij was en het echt tot me begon door te dringen, heb ik me er direct bij neergelegd. Het was nu eenmaal zo en ik zou het wel rustig bekijken, gewoon even afwachten. Ik wist ook niet goed wat me te wachten stond, eigenlijk... Mijn huisarts heeft altijd gezegd: 'Als je zwanger wordt, vind ik ook dat je je verantwoordelijkheid moet nemen.' Dat ben ik nooit vergeten. Mijn vriend was in eerste instantie heel boos en wou dat ik het kind wegdeed. Hij heeft twee uren lang niet tegen mij gepraat. Uiteindelijk heeft hij wel gezegd: 'Oké, we houden het.' Maar dat zei hij uit angst me anders te verliezen. Dat heeft hij achteraf ook toegegeven. Hij wil wel kinderen, maar veel later. Hij is even oud als ik, zeventien jaar, enig kind en geen grote kinderfan. Hij gaat nog voltijds naar school en heeft nog drie jaar voor de boeg. Hij houdt veel van het uitgaansleven en zijn vrienden zijn heel belangrijk voor hem. Hij is zelf echt nog kind.

Ook voor Ellen kwam de ontdekking van haar zwangerschap als een verrassing. Een onaangename verrassing. *Mijn eerste reactie was: Help! Amai, dat was 'help', ja. Het was volledig ongepland en ik ervoer het als een ramp, omdat ik Mario nog niet zo lang kende en plannen had om verder te studeren. Mario en ik waren tien maanden samen, ik zat nog op school en wilde opvoedkundige of verpleegster worden. Toen ik hem vertelde dat ik zwanger was, schrok hij enorm. Ik dacht dat hij flauw zou vallen. 'Oh nee...', was zijn eerste reactie.* Ondanks haar verbazing wist Ellen heel snel wat haar te doen stond. Bovendien verwachtte ze ook van Mario meteen klare wijn. *Ik vroeg hem meteen: 'Denk je bij mij te blijven of ga je weg... Wat ga je doen?' Hij verzekerde me dat hij niet zou weggaan: 'Dat is mijn kind en we gaan dat goed doen en dat komt goed.'* Hoewel ze nog een pril koppel zijn, nemen ze een ingrijpende beslissing en gaan ze samen op weg. *Vanaf dat moment zijn we er samen voor gegaan.*

Hoe kan het zo ver komen?

Ongeplande zwangerschap is niet beperkt tot tieners, want ook volwassenen worden hiermee geconfronteerd. Het is dus niet exclusief aan de leeftijd te wijten. Het meest recente rapport van Kind en Gezin wijst zelfs uit dat 1 op 7 van de kinderen die geboren worden, ongepland is. Bij een derde zwangerschap loopt dat nog op tot 1 op 3. Volwassen vrouwen kunnen echter makkelijker doen alsof hun zwangerschap wel gepland is, terwijl bij tieners al gauw het vermoeden rijst 'dat het wel ongepland moet zijn, want daar kies je toch niet voor als je nog zo jong bent?'

In vergelijking met andere landen, zoals de Verenigde Staten of het Verenigd Koninkrijk, is het aantal tienerzwangerschappen in België nog tamelijk beperkt. Maar gezien de huidige mogelijkheden tot preventie ervan, blijft het misschien een raadsel waarom het toch voorkomt. Hebben jongeren een gebrek aan kennis over anticonceptie en het gebruik ervan? Tieners zeggen te weten welke voorbehoedsmiddelen er voorhanden zijn, maar over het concrete gebruik ervan in functie van betrouwbaarheid, blijken nogal wat onzekerheden te leven. Ellen vertelt hoe ze nog maar net twee of drie maanden de pil nam toen ze zwanger werd. Tijdens die maand was ze twee keer vergeten een tabletje in te nemen. *Niet meer, niet minder. Het waren er twee en ik was me daar goed van bewust, maar twee... Je denkt dat het geen kwaad kan.* Pauline bevond zich in een vergelijkbare situatie met het gebruik van haar vaginale ring. *Ik had mijn menstruaties wel gehad, maar minder dan normaal. Ik maakte me niet meteen zorgen, omdat ik door een vaginale ring minder zware maandstonden had.* Maar omdat ik van die kwaaltjes kreeg, zoals pijnlijke steken ter hoogte van mijn baarmoeder en misselijkheid, heb ik dan toch maar eens een test gedaan. Ik had mijn vaginale ring immers wel een dag te laat in gedaan. Nu ja, je denkt bij jezelf: Dat kan geen kwaad, dat is zoiets als eens een dag de pil vergeten, dan maak je je ook niet meteen zorgen.* Niet alleen een onnauwkeurig gebruik, maar ook ziekte kan de betrouwbaarheid van anticonceptie verminderen – een gegeven waar tieners zich niet altijd van bewust zijn, zoals Evelien. *De test gaf aan dat ik zwanger was en op dat moment zijn we gaan terugdenken. Ik was inderdaad ziek geweest. Ik nam wel de pil, maar ik had er niet over nagedacht dat ziekte de werking kan verminderen. Dat was achteraf gezien heel stom, maar het gebeurde wel vaker.* Ook Alexia was heel bewust bezig met haar pilgebruik, maar ook bij haar gooide ziekte roet in het eten. *Ik kreeg altijd tussentijdse bloedingen van mijn pil en ze zeiden dat die te licht was... Op een gegeven moment was ik heel ziek en moest ik een paar keer overgeven. Ik nam de pil echter altijd heel stipt. Zo had ik een alarm in mijn gsm staan om mijn pil elke dag op hetzelfde uur te nemen. Ik had zelfs twee doosjes gekocht, zodat ik de pil altijd bij me in mijn handtas had. Ik kon ze echt niet stipter innemen dan ik deed. De dokters dachten natuurlijk dat ik mijn pil vergeten was, maar ik was zwanger omdat ik ziek geweest was. Ik zal nooit meer de pil gebruiken, maar over een alternatief moet ik nog even nadenken.*

Naast een beperkte of onnauwkeurige kennis over het correcte gebruik van voorbehoedsmiddelen, speelt nog een andere factor een rol, namelijk de kloof tussen kennis en gedrag. Het is niet omdat je beseft dat je iets moet doen, dat je dat dan ook daadwerkelijk doet. Zelfs volwassenen hebben het hier soms moeilijk mee.

Enige onbezonnenheid is bovendien eigen aan jong zijn. Dit betekent niet dat jongeren louter impulsief handelen en nergens over nadenken. Het betekent wel dat ze bij keuzes andere afwegingen maken dan volwassenen. Waar volwassenen bijvoorbeeld in gevaarlijke situaties eerder spontaan vertrouwen op hun intuïtie, die gebaseerd is op eerdere ervaringen, zullen tieners meer nadenken over de alternatieven en daarin ook meer aandacht hebben voor de positieve gevolgen – zelfs in gevaarlijke situaties. Bovendien wint het kortetermijndenken het vaak van een verder weg gelegen toekomstperspectief. Bijgevolg is hun inschatting van risicosituaties heel anders dan bij volwassenen, omdat hun emoties – in de adolescentie gekenmerkt door het verlangen naar en mogelijkheid tot plezier op korte termijn – de bovenhand halen op de redelijkheid die hun impulsen probeert in te tomen. Zo kunnen jongeren wel inschatten dat veilige seks en dus het gebruik van anticonceptie belangrijk is, bijvoorbeeld wanneer ze hierover praten met hun ouders of leerkrachten. Maar op het moment dat ze in een situatie verzeild raken waar de seksuele beleving zich aandient, kunnen de emotionele reacties belangrijker zijn. Het idee dat het de jongere ook kan overkomen om jong zwanger te worden, lijkt dan naar de achtergrond te verdwijnen. Dit zou kunnen verklaren waarom sommige tieners op een nonchalante manier lijken om te gaan met anticonceptiva, en dus ook met de mogelijkheid van een zwangerschap. De getuigenis van Amy beschrijft dit treffend. *Ik nam de pil, maar dat was zoals veel tieners waarschijnlijk de pil nemen... De ene dag wel en een andere dag niet en het dan weer een keer vergeten. En zo is het gebeurd. Ik nam toen ook al iedere dag antibiotica en die vergat ik ook weleens een dag. Gedurende een jaar ben ik op die manier af en toe vergeten de pil te nemen en omdat er nooit iets aan de hand was, was ik ervan overtuigd dat het geen kwaad kon.*

Ook Roos nam ongewild en onbewust het risico op een zwangerschap. *Ik nam de pil niet. Af en toe gebruikten we een condoom, maar niet vaak. Achteraf bekeken had ik beter de pil kunnen vragen aan mijn moeder. Eigenlijk wist ik wel dat ik die dan zou krijgen, maar ik durfde het niet te vragen.* Het is aannemelijk dat het gebruik van deze hormonale anticonceptie voor jongeren een drempel blijft, aangezien er steeds een doktersvoorschrift nodig is. Vaak gebeurt dit bovendien via de ouders, zodat de tiener ook aan hen moet toegeven dat zij seksueel actief is – een stap die niet voor iedereen even gemakkelijk te zetten is.

Het gebruik van deze voorbehoedsmiddelen kan ook voor ongemakken en kwaaltjes zorgen. Sommige meisjes moeten lang zoeken om de 'juiste' pil te vinden. Anderen kiezen ervoor om helemaal af te zien van dit middel. Om gezondheidsredenen opteert Anne er bijvoorbeeld voor om enkel condooms te gebruiken, in combinatie met de noodpil. *Ik had eerder al verschillende pillen geprobeerd, maar kreeg altijd veel last van pijnlijke, zware benen. Dus gebruikte ik uiteindelijk alleen maar condooms. Die scheurden weleens en dan haalden wij de morning-afterpil. Ik ben één keer vergeten die pil te halen, omdat ik in examenperiode zat. Ik herinner me nog dat ik daar ineens aan dacht toen het eigenlijk al te laat was. Je moet die binnen 72 uur nemen en ik zat daar bijna aan, dus ik dacht dat het dan ook niet meer de moeite was. Het was ook een dure affaire. Zou me dat nu overkomen, dan zou ik sowieso voor de zekerheid die pil innemen, maar ik was achttien en dacht niet verder na. Als we onveilig vreeën, gingen we de morning-afterpil altijd halen – maar die ene keer niet.* Anne lijkt heel luchtig over het gebruik van de noodpil heen te stappen. Toch is dit niet het geval, maar aangezien geen enkele pil bij haar paste en enkel het condoom gebruikt kon worden, was de noodpil haar enige redmiddel om een zwangerschap uit te sluiten als het condoom faalde. Anders dan bij het condoom en de pil betreft het hier overigens geen anticonceptie. Immers, de noodpil voorkomt niet alleen een eventuele eisprong, maar indien de conceptie reeds heeft plaatsgevonden, voorkomt ze de innesteling van het vruchtje. Bovendien is de impact van de noodpil op het lichaam niet zo onschuldig; ze kan de hormoonhuishouding grondig door elkaar schudden.

Ongeplande zwangerschap bij tieners blijkt bijgevolg voornamelijk een gevolg van twee factoren. In sommige gevallen hebben jongeren ontoereikende kennis over het correcte gebruik en de betrouwbaarheid van voorbehoedsmiddelen, of kunnen ze de kennis die ze hebben niet in praktijk omzetten. In andere gevallen betreft het eerder een nonchalante houding, waarbij de tiener misschien onbewust enigszins overmoedig is omdat het 'mij wel niet zal overkomen'. Deze vaststellingen worden bevestigd door Els, leerlingbegeleidster en coördinator van de derde graad op een secundaire school. In deze functie wordt ze minstens een keer per jaar geconfronteerd met een leerling die ongepland zwanger is. *Leerlingen hebben hun eigen ideeën over het gebruik van anticonceptiva die absoluut niet overeenkomen met een correct gebruik ervan. Wanneer we hierover met zeventienjarigen in gesprek gaan, schrikken we van het feit dat jongeren zo slecht geïnformeerd zijn en er zoveel misvattingen leven met betrekking tot pilgebruik. Bovendien worden jongeren nonchalanter in het gebruik van voorbehoedsmiddelen doordat de verschillende oplossingen in het geval van een ongeplande zwangerschap toegankelijker worden, zoals abortus en de morning-afterpil.*

Daarnaast is het opvallend dat het gebruik van anticonceptiemiddelen of zelfs de seksualiteit niet ter discussie gesteld wordt. Het wordt als een normaal onderdeel van een relatie tussen tieners en van hun leven beschouwd, terwijl niemand voorbereid is op een zwangerschap of het vroege ouderschap... Jongeren geven soms de indruk enigszins onverantwoordelijk om te springen met het gebruik van anticonceptiva, terwijl een falen hiervan hen met een nog grotere verantwoordelijkheid confronteert. Dit roept de vraag op of, ondanks de gewaardeerde inzet van scholen en vormingsinstellingen, relationele en seksuele vorming niet te vaak beperkt blijft tot puur technische informatie over correct pil- en condoomgebruik. Els wijst erop dat dit thema veel ruimer is en idealiter aan de orde zou moeten komen binnen het vak relatievorming. Zodoende kan samen met de jongere worden gezocht naar een middel dat het best past bij zijn of haar karakter of levensstijl. Verder dient er volgens Els expliciet aandacht te worden besteed aan oefening van sociale vaardigheden. Jongeren moeten niet alleen leren wat hun wensen inzake de relatie en seksualiteit zelf zijn, maar ook hoe zij anticonceptie met hun ouders en partner bespreekbaar kunnen maken. *Waar de pure seksuele voorlichting al in de eerste graad aan bod komt, vindt er – na een hiaat in de tweede graad – in de derde graad een tweedaagse plaats over relatie- en groepsvorming. Aangezien klassen heterogene groepen zijn, waarvan een deel al seksueel actief is en een ander deel niet, is het heel moeilijk om over relaties en seksualiteit te praten. We stellen dan ook een leemte vast op het vlak van relatievorming, wanneer leerlingen bijvoorbeeld te kennen geven dat ze het moeilijk vinden om tijdens seksuele contacten plots over condooms te beginnen. Mogelijke oorzaak hiervoor is misschien dat de seksuele en relationele vorming momenteel te versnipperd is, bijvoorbeeld door de organisatie van losse themadagen. Maar deze informatie blijft niet hangen. Het is dan ook belangrijk dat zulke zaken regelmatig tijdens de lesuren herhaald worden. Wij zijn gelukkig een school met alleen maar sociale richtingen en hebben het voordeel dat er vakken gegeven worden zoals gedragswetenschappen, psychologie, gezondheids- en welzijnswetenschappen. En hoewel*

Onderzoek toont aan dat jongeren vragende partij zijn voor deze bredere interpretatie van relationele en seksuele vorming waarin ze onder andere meer de nadruk op het relationele willen, met aandacht voor de verschillen tussen meisjes en jongens, voor verliefdheid, versieren en gevoelens, kortom: thema's die het louter technische van seksualiteit overstijgen. Dit wijst op wat een pragmatische aanpak van relationele en seksuele vorming heet. Een pragmatische aanpak gaat er impliciet van uit dat tieners op jonge leeftijd seksueel actief kunnen zijn en integreert deze seksuele gevoelens en verlangens in het bredere levensperspectief. Bijgevolg ligt de klemtoon niet zozeer op het vermijden van seksueel gedrag, als wel op het benadrukken van de verantwoordelijkheid indien tieners ervoor kiezen seksueel actief te worden. Een moraliserende aanpak daarentegen beschouwt seksualiteit bij jongeren als een taboe of gaat ervan uit dat relationele en seksuele vorming de seksuele activiteit eerder zal stimuleren dan afremmen, waardoor deze vorming de verkeerde boodschap meegeeft. De nadruk ligt hier immers op het vermijden van seksueel gedrag op jonge leeftijd. Jongeren zijn echter voorstander van een positieve benadering van relationele vorming wanneer ze seksueel actief worden en hebben liever niet dat er vooral gevarendriehoeken worden uitgezet. Volgens hen blijft de school de uitgelezen plaats voor deze relationele vorming, in gesprek met hun leeftijdsgenoten. Pas in tweede instantie zullen ze hier thuis over praten, waar ze vooral de achterliggende waarden en normen rond relaties en seksualiteitsbeleving van kleins af aan meekrijgen. Ze sluiten praten over seksualiteit thuis echter niet uit, wat aansluit bij onderzoek dat uitwijst dat jongeren bij wie dit thema thuis bespreekbaar is, minder kans hebben op een zwangerschap op vroege leeftijd. Een integratie van en ondersteuning voor deze familiale relatievorming en wat er in de school daaromtrent gebeurt, is dan ook noodzakelijk.

projectwerking heel erg door de overheid gepromoot wordt, ontbreekt het de leerkrachten vaak aan de expertise om zulke projectdagen te begeleiden. *Externe ondersteuning van organisaties zoals Sensoa is dan ook welkom. Dit heeft het extra voordeel dat jongeren tegenover zulke begeleiders ook minder geremd zijn.*

Iets ertussenin...

Naast tieners voor wie de zwangerschap echt als een verrassing komt, zijn er ook jongeren die ambivalent blijken te staan ten aanzien van een eventuele zwangerschap. De zus van Hannelore vertelt haar bijvoorbeeld dat haar zwangerschap op zeventienjarige leeftijd 'half-en-half' gepland was, wat voor Hannelore onbegrijpelijk is. *Hoe kan je dat nu half-en-half plannen? Ofwel heb je dat niet gepland, ofwel sta je er honderd procent achter!* Voor haar zus, en voor vele andere meisjes, staat niet zwanger willen worden echter niet noodzakelijk gelijk met bewust een zwangerschap vermijden. Op het moment van de ontdekking van de zwangerschap is het dus niet alleen help of hoera, maar kan het ook echt iets ertussenin zijn. Elien beschrijft bijvoorbeeld hoe ze op zestienjarige leeftijd ontdekte dat ze zwanger was van haar vriend met wie ze twee jaar een relatie had. Omdat haar menstruatie onregelmatig was, maakte ze zich niet meteen zorgen, maar ze besloot toch een zwangerschapstest te doen toen haar regels uitbleven. *Ik ging ervan uit dat de test negatief zou zijn. Mijn vriend was gaan werken, dus heb ik de test gehaald met mijn vriendin. Ik ging naar het toilet, voerde de test uit en wachtte het resultaat af. Wat bleek toen ik vijf minuten later terugging? Twee duidelijke strepen. Mijn vriend en ik hadden het wel al over kindjes gehad, maar we wilden wachten tot ik mijn school had afgemaakt. Het was een beetje vroeger dan verwacht, maar ik was eigenlijk niet teleurgesteld toen ik de positieve test*

in handen had. Het enige wat door mijn hoofd ging was: Hoe ga ik het
aan mijn moeder vertellen en hoe ga ik het allemaal betalen? De reactie van Elien wijst op een ambivalente houding ten aanzien van
zwangerschap: het was niet gepland, maar ze vindt het ook niet
erg als het zo ver is. Het is er iets tussenin...

SEMI-GEPLANDE ZWANGERSCHAPPEN

Sommige jongeren vermijden een zwangerschap bewust – wat zich
voornamelijk uit in een strikte toepassing van anticonceptie. Anderen daarentegen willen eigenlijk niet zwanger worden, maar het
idee zwanger te worden is voor hen niet geheel onaanvaardbaar.
Als een jongere uit deze groep zwanger wordt, kan er sprake zijn
van een ambivalente planning of 'semi-geplande' zwangerschap. Er
zijn indicaties om aan te nemen dat deze semi-geplande zwangerschappen vaker voorkomen bij meisjes uit een zwakker sociaal-
economisch milieu en/of met een lager opleidingsniveau. Een
mogelijke verklaring hiervoor is dat zulke meisjes een negatiever
toekomstperspectief hebben voor zichzelf. Dat wil zeggen dat zij
menen in termen van opleiding, loon en arbeid minder te verliezen te hebben dan leeftijdgenoten met een hoger opleidingsniveau
en dus uitgebreidere carrièremogelijkheden. Aangezien een kind
hun toekomstplannen niet in de weg zal staan, hebben zij geen reden om een eventuele zwangerschap absoluut te vermijden, wat
resulteert in een onzorgvuldiger gebruik van voorbehoedsmiddelen of meer risicovol gedrag in hun seksuele relaties. Dit verklaart
ook waarom het abortuscijfer bij hogergeschoolde meisjes hoger
ligt dan bij andere meisjes. Een kind doorkruist daar allerlei toekomstplannen, terwijl een kind in een kansarmer milieu vaak gezien
wordt als een belofte voor een nieuwe toekomst.

Soms ook hoera!

De ontdekking van een zwangerschap is niet voor alle tieners problematisch. Sommige tienerkoppels kiezen er immers bewust samen voor een kindje toe te laten in hun jonge leven. Slechts een beperkt percentage jongeren koestert een expliciete kinderwens. Maar koppels zoals Marie en Carlo juichen wanneer ze het goede nieuws vernemen. *Van jongs af zag ik graag kindjes. Ze zijn zo schattig en lief en het is iets van jezelf. Ik wist dan ook al vanaf mijn zestiende, vanaf het moment dat ik samen was met mijn vriend die later mijn man zou worden, dat ik jong kinderen wilde. Voor hem was dat ook het geval. Daar stonden we echt samen achter. Uiteindelijk hebben we gewacht tot ik achttien was, toen ik afgestudeerd was. Na een achttal maanden bleek ik dan zwanger te zijn. Ik bruiste van de adrenaline bij de ontdekking dat ik zwanger was. Mijn man geloofde niet dat ik zwanger was. Hij sliep nog op het moment dat ik de test deed, en hij geloofde me niet toen ik naar boven ging om het hem te vertellen – slaapdronken als hij was. Toen hij wakker werd en de test naast hem vond, zei hij: 'Hey, je bent zwanger! Goed he?!' Hij had wel nog de bevestiging nodig van een bloedtest bij de dokter voor hij helemaal overtuigd was. We waren echt allebei heel blij, wat niet anders kan als je er beiden achter staat. Ik was zo gelukkig dat ik ook geen angst had voor de toekomst. Als je aan kinderen begint, moet je klaar zijn om ervoor te zorgen – en dat gevoel had ik wel.*

Maar ook bij een geplande zwangerschap gaat de eerste blije reactie soms gepaard met ambivalente gevoelens van onzekerheid of zelfs angst, gevoelens die herkenbaar zijn voor de meeste vrouwen die ontdekken dat ze gewenst zwanger zijn. Maaike beschrijft hoe ze eerst heel graag zwanger wilde worden, maar plots bang werd toen het zo ver was. *Op het moment dat ik de test deed, was ik toch bang. Toen ik ontdekte dat de test positief was, was ik bang, blij en verdrietig tegelijk. Ik vroeg me af wat ik nu moest doen. Ik was aan het twijfelen: zou ik het houden of zou ik toch kiezen voor abortus? Maar nu ben ik zo blij dat ik voor mijn liefste schatje heb gekozen.*

Ook Myriam en Eric kozen ervoor om als tieners een kind te krijgen, wat dertig jaar geleden zeker niet voor de hand lag. Het was voor hen een manier om hun relatie meer structureel vorm te geven en samen te kunnen zijn. Toen Myriam ontdekte dat ze zwanger was, voelde ze zowel vreugde als paniek. *Hoewel ons kindje gepland en gewenst was, was er bij de vaststelling van de zwangerschap plots ook paniek: Oei, oei, zou ik dat wel kunnen?! Die onzekerheid benam mij de adem. En ik voelde ook veel schaamte.* Zij was veertien, hij achttien toen ze elkaar ontmoetten tijdens een avondje uit met gemeenschappelijke vrienden. Myriam vertelt hoe ze voor haar leeftijd heel veel vrijheid kreeg van thuis. *Als enig kind ben ik vrij opgevoed, ik mocht eigenlijk alles. Als ik alleen was, was ik wel op zoek naar iemand, naar een vriendje.* Toen ze Eric leerde kennen in een dancing, klikte het meteen. Het voelde meteen ongelooflijk goed aan: praten ging vanzelf en ze herkenden elkaars humor. Hoewel ze nog tieners waren, wilden ze vrij snel meer. *Vanaf het begin klikte het echt en na meer dan twee jaar samenzijn, wilden we meer. We wilden echt samen zijn. Maar we gingen op zoek naar een manier om een gedeeld leven op te bouwen.* Trouwen zat er echter niet in. Daarvoor vonden de ouders van Myriam het nog veel te vroeg. De vraag werd meteen afgewimpeld. Dus gingen ze op zoek naar een andere manier om samen te kunnen zijn. *Toen werd er iemand uit onze vriendenkring ongewenst zwanger en dat koppel moest trouwen. Dat was iets nieuws; daar hadden we nog niet aan gedacht. Je ouders kunnen je dan niet meer tegenhouden om te trouwen, ze moeten het wel toestaan. Op dat moment is het idee bij ons gegroeid om het ook op die manier te doen. Het was toen heel vlug beslist dat een zwangerschap voor ons de oplossing was om samen te kunnen zijn. Voor*

mij kwam de zwangerschap dus niet direct voort uit een kinderwens,
maar wel uit de wens om samen te zijn. Voor Myriam was de beleving wel anders. Zij had al van kindsbeen af een kinderwens die
ze in haar relatie met Eric op jonge leeftijd bewust wilde invul-
len. *Al vanaf mijn kindertijd had ik een kinderwens. Als kind bijvoor-*
beeld zorgde ik altijd dat mijn poppen gekleed waren voor ik naar school
ging. Ik kon niet vertrekken als ze geen eten hadden gekregen. Er heeft
altijd een soort moedergevoel in mij gezeten. Dat lijkt wel mijn talent
te zijn, moeder zijn. Ik had dus echt wel een kinderwens. Maar in eerste instantie was Myriam toch in paniek... Eric beleefde het iets
rustiger en onderging het misschien ook wat lijdzamer. *Het was*
uitdrukkelijk onze wens, maar ineens wordt die wens realiteit en komt
het besef. Op dat moment gaat er van alles door je heen. Bij mij was er
minder paniek, maar ik leefde toen ook minder bewust dan nu. Ik wilde
vooral bij Myriam zijn. De rust en het wederzijds vertrouwen zorgden er echter voor dat Myriam de toekomst positief zag en blij
was met de gemaakte keuze. *Wat ik meteen en nu nog steeds voelde,*
was Erics enorm verantwoordelijkheidsgevoel. Hij nam meteen die rol
van verantwoordelijke en zorgende vader op zich. Ik wist dat hij voor
ons kind zou zorgen; ik hoefde niet bang te zijn dat hij ons in de steek
zou laten. Nooit. Er was een heel groot vertrouwen dat het ons zou luk-
ken. Dit vertrouwen zou nog dikwijls op de proef gesteld worden,
vooral door de reactie van anderen. Myriam en Eric moesten dan
ook sterk in hun schoenen staan in een tijd waarin tienerzwangerschap nog een veel groter taboe was dan nu.

Het taboe rond tienerzwangerschap is niet louter typerend voor
onze maatschappij. Ook andere culturen en religies hebben het
moeilijk met meisjes die op jongere leeftijd zwanger raken. Sarila heeft het aan den lijve ondervonden. Ze was negentien toen

ze van huis wegliep en vroegtijdig bij haar toenmalig vriendje introk. Zij wilde heel graag met hem trouwen, maar omdat hij Turks is en zij Koerdisch, verzetten haar ouders zich van meet af aan tegen de relatie. Daartegenover moedigde de moeder van haar vriend haar aan om over een zwangerschap na te denken. *Zijn moeder had gevraagd of ik een kindje wilde, waarop ik meteen bevestigend antwoordde. Toen mijn vriend dat hoorde, zei hij – vooral spottend – dat we dan wel een kindje zouden maken. Drie weken later was ik flauwgevallen en in het ziekenhuis vertelden ze me dat ik zwanger was. Ik wilde het zelf, niet alleen omwille van mijn schoonmoeder. Ik was heel blij. Ik was doodgelukkig. Mijn vriend was eerst gechoqueerd, maar later ook gelukkig. Tot zijn vrienden en familie op hem inpraatten en zeiden dat hij nog maar 21 was en dus misschien niet klaar was voor een kindje. Hij vroeg zich trouwens af of het wel zeker was dat het zijn kind was. Dat deed heel veel pijn, want voor mij was hij het eerste vriendje met wie ik naar bed gegaan was. Dat betekende veel voor mij.* Bovendien hoopte zij impliciet door de zwangerschap haar vriend aan zich te binden en met hem een nieuw leven op te bouwen. *Ik dacht dat ik heel gelukkig zou worden met hem en een beter leven zou krijgen dan bij mijn ouders, dat we samen met ons kindje een gelukkig gezinnetje konden starten.*

Meer help dan hoera

Tieners die bewust kiezen voor een geplande zwangerschap zijn eerder zeldzaam. Een kinderwens koesteren ze wel, maar veeleer 'ooit, nu nog niet'. De realiteit is echter niet zo zwart-wit, er is ook een grijze zone. Het kan immers ook dat ze een zwangerschap niet bewust vermijden en ze eerder positief staan tegenover hun semi-geplande zwangerschap. Toch overkomt het hun gewoon heel vaak en blijft de ontdekking van de zwangerschap een schok. In deze crisissituatie worden tieners geconfronteerd met ambivalente gevoelens, met verwarring en onzekerheid tot gevolg. Boven op deze verwarrende emoties leeft de angst en aarzeling om hun omgeving, en dan voornamelijk de ouders, in te lichten – een typerende reactie die al getuigt van het feit dat de meisjes zich bewust zijn van de negatieve perceptie die er leeft rond tienerzwangerschap. Ze verwachten bijgevolg ook een afkeurende reactie van de ouders, familie en vriendenkring. De vraag is of deze verwachting terecht zal blijken of niet...

DE MOGELIJKE BETEKENISSEN VAN
DE ZWANGERSCHAPSWENS

Een tienerzwangerschap kan wijzen op meer dan alleen maar een mislukte anticonceptie, maar kan ook een uiting zijn van een zwangerschapswens. De meisjes zelf kunnen vaak niet verwoorden wat hen precies drijft, dan komt het erop aan te horen wat er tussen de regels door gezegd wordt. Verschillende betekenissen kunnen ook tegelijk voorkomen. Onderstaande opsomming van mogelijke beweegredenen is niet exhaustief.

- In een eerste betekenis kan de drang naar vrijheid en zelfstandigheid van jongeren onrechtstreeks worden uitgedrukt in een zwangerschapswens. Dit is herkenbaar in het verhaal van Myriam en Eric. Het is daarom ook goed dat in preventieve gesprekken met jongeren over anticonceptie en kinderwens de betekenis van een kind als ticket tot de vrijheid in een realistisch perspectief geplaatst wordt.
- In een tweede betekenis kan een zwangerschapswens ook uitdrukking geven aan de wens om de partner aan zich te binden. Dit merken we onrechtstreeks in Sarila's hoop om samen met haar partner een gelukkig gezin te vormen.
- Ten derde kan de zwangerschapswens de hoop op binding met de ouders aangeven, zeker van een meisje ten aanzien van haar moeder. Die meisjes hopen een reactie los te maken bij hun ouders die zich doorgaans onverschillig opstellen ten aanzien van het meisje haar leven, ook al is dit een negatieve reactie. Soms reageert de aanstaande grootmoeder inderdaad zoals verhoopt: met aandacht en zorg voor haar dochter en kleinkind.
- Een meisje kan zich ten vierde ook bewust of onbewust een 'schattig kindje' wensen om het de warmte, geborgenheid en een mooie toekomst te geven die ze zelf miste, hopend op

wederkerige liefde van haar kind. Haar kind moet dat gemis dan opvullen, hetgeen verkeerde of te hoge verwachtingen kan inhouden.

- Ten vijfde kan het meisje ook kiezen voor een kind om iets te hebben dat echt van zichzelf is, zoals Marie het uitdrukt.
- Een kindje kan ten slotte ook regelmaat en ritme in het leven brengen. Een meisje kan het prille moederschap onderschatten, of het kan haar juist nieuwe krachten en een *boost* van zelfvertrouwen geven. Vaak gaat het erom zichzelf te bewijzen, dat ook zij in staat is tot het nemen van verantwoordelijkheden, zeker als ze voorheen door haar omgeving als 'lastige puber' ervaren werd. Ze kan zich dan ook bewust klaar voelen om haar leven in eigen handen te nemen en moeder te worden. Soms dient er wel opvoedingsondersteunend te worden gewerkt aan deze positieve wil om deze om te zetten in wat reëel nodig is aan kennis en vaardigheden in ouderschap, in het belang van haar kind.

HOOFDSTUK 2

'OEI, ZE IS ZWANGER...' OVER DE EERSTE REACTIE VAN DE DIRECTE OMGEVING

Ik was achttien jaar en was tien maanden samen met mijn vriend toen ik ongepland zwanger werd. Tegen hem heb ik het onmiddellijk gezegd, maar voor de anderen heb ik het nog even verzwegen. Toen Mario's ouders naar hun caravan waren, was ik heel veel bij hem thuis. Om mijn ouders te ontvluchten. Het viel hun wel op dat ik niet vaak thuis was, maar ik durfde echt niet te zeggen dat ik zwanger was. Op een gegeven moment kan je dat natuurlijk niet langer verzwijgen, want je moet naar de dokter, naar de gynaecoloog... en daar was ik nog nooit geweest. Op een avond zijn mijn vriend en ik dan toch samen naar mijn ouders gegaan. Ik herinner het me nog heel goed: er stond pizza in de oven en zo goed gezind als ze waren, vroegen ze nog: 'Eten jullie mee?' Toen heb ik het plots in het midden gegooid: 'We moeten iets zeggen... Mama, ik ben zwanger.'

Is er een goede manier om als tiener je ouders te vertellen dat je zwanger bent? Je wordt zelf immers nog gezien als een kind en plots sta je voor de keuze of je over enkele maanden moeder zult worden. Tenzij je ervoor kiest het nooit te vertellen en in de

anonimiteit een abortus of bevalling ondergaat, wordt het na de eerste verwerking van de schok vroeg of laat onvermijdelijk om ook je ouders in te lichten en de confrontatie met je omgeving aan te gaan. Maar deze stap zetten blijkt niet altijd makkelijk. In onze maatschappij leeft immers nog steeds het idee dat een kind op jonge leeftijd een stoorzender is voor de rest van het leven, dat tienerzwangerschap niet hoort, dat het ook niet hoeft indien je toch maar een beetje voorzichtig bent, dat je het kindje ook niet hoeft te houden... En door de zwangerschap is het natuurlijk niet langer mogelijk te verbergen dat je seksueel actief bent. Het feit dat een zwangerschap het meisje of het koppel dwingt om het intieme relationele leven te delen met de ouders, kan hun een schaamtegevoel bezorgen. Veel meisjes worstelen er dan ook mee om het thuis te vertellen. De mogelijke reactie van afwijzing, kwaadheid en ontgoocheling schrikt hen af. Ze hebben het soms zelfs moeilijker met het feit dat ze hun ouders op de hoogte moeten brengen, dan met de zwangerschap zelf. Dus verzwijgen ze het nieuws liever even en stellen de confrontatie uit, zoals Ellen hiervoor vertelde. Een goed moment blijkt er nooit te zijn. Welke reactie kun je krijgen wanneer je nieuws brengt dat je ouders helemaal niet verwachten? Bij Ellen en Mario werd het een tranendal... *Mama is naar boven gegaan en heeft geweend, geweend, geweend. Mijn vader bleef kalm. Hij zat in de keuken voor zich uit te staren en zei niet veel. Daar stonden we dan. Ze waren geschrokken en verdrietig. Toen ik naar boven ging in de slaapkamer en mijn moeder huilend op haar bed lag, zei ze: 'Ellen, luister, we kunnen er iets aan doen.' Dat is de enige keer dat ze zoiets gezegd heeft, dat ze praatte over abortus. Ik heb daar niet op gereageerd, maar ben weer naar beneden gegaan.*

Op zo'n moment zien ouders niet alleen hun dromen voor hun kinderen in rook opgaan, maar is het niet onbegrijpelijk dat ze zich ook afvragen hoe dit hun reputatie kan schaden. Vooral Ellens moeder blijkt hierover bezorgd. *Wij waren eigenlijk deftige mensen, om het zo uit te drukken. En een zwangere tienerdochter, dat kon alleen bij andere mensen, zo leek het. Mijn moeder vroeg zich dan ook af: Wat zullen de mensen daar nu van denken? Mijn zus was goed getrouwd, maar Mario kenden ze nog niet zo goed en dus was ze daarover bezorgd. Ze is daar zelfs depressief van geworden.* De gedachten van Ellens vader zijn niet zo doorzichtig. Is hij ontgoocheld? Heeft hij andere plannen? Zeker is dat hij het spijtig vindt dat zijn dochters zo onverwacht snel na elkaar het huis verlaten. *Hij had het heel moeilijk, omdat mijn zus net de deur uit was en nu zou ik plots ook weggaan. Meteen zijn twee dochters het huis uit, dat vond hij wel heel erg.* Hoewel deze eerste ouderlijke reacties begrijpelijk zijn, hebben ze een grote impact op de tiener, die dan een beetje verweesd achterblijft met haar angsten, twijfels en gevoelens. Of zoals Ellen het verwoordt: *Echt gesteund heb ik me toen niet gevoeld.*

Een vriend, iemand die met je lacht en met je grient

Het is menselijk het goede moment af te wachten om dit soort nieuws te delen met mensen met wie je een speciale relatie hebt en van wie het leven hierdoor grondig op zijn kop gezet zal worden. Tegelijkertijd wil je het niet alleen verwerken en opkroppen. Soms helpt het dan om je hart eens te luchten bij iemand die de zaken meer van een afstand kan bekijken en niet onmiddellijk betrokken partij is. Anne was er niet klaar voor om naar haar ouders te stappen, maar nam haar vriendin in vertrouwen over haar ontdekking en ging bij haar te rade. *Ik was heel bang voor de reactie van mijn ouders. Ik heb het dan ook allereerst aan mijn beste vriendin verteld. Ze was natuurlijk enorm geschrokken, zeker omdat we toen nog niet zo heel lang bevriend waren. Anderzijds voelde ze zich ook gevleid omdat zij het als eerste wist. Want ik heb het echt meteen verteld. Ze was natuurlijk ook een beetje overdonderd. Maar ze heeft me wel altijd gesteund, vanaf het begin. Daar had ik veel aan. Niet alleen emotioneel, maar ook praktisch. Zo regelde ze allerlei dingen voor me en dat ging veel verder dan gewoon de zwangerschap. Ze hield bijvoorbeeld mijn agenda bij voor school, omdat ik met zoveel dingen tegelijk bezig was. Ik kon dat allemaal niet meer volgen. Ze deed veel en hielp mij met heel veel dingen. We zijn nu nog altijd beste vrienden.*

Voor Tess kwam het vertrouwen dat Anne haar gaf als een ver-rassing. *Als eerste vernam ik dat Anne zwanger was – nog vóór haar ouders, nog voor haar vriend zelf. Ik begreep niet goed dat ik het als eer-ste wist, want zij staan toch het dichtst bij haar? Maar dat maakt het ook zo moeilijk, want dat zijn natuurlijk de mensen die je niet wilt ver-liezen op zo'n moment.* Dat Anne dringend nood had aan een luiste-rend oor was duidelijk, want ze belde Tess meteen na de zwanger-schapstest bij de dokter op. *Toen ik het hoorde, was ik heel verbaasd. Maar het eerste wat ik dacht was: Ik moet haar steunen, want dit is zo'n ingrijpende ervaring. Ze was ook volledig overstuur aan de tele-foon, dus ik wist dat ik er als vriendin moest zijn en zeggen wat ze moest doen. Tijdens dat eerste gesprek dacht ik dan ook heel logisch na, was ik heel gevoelloos. Ik heb haar advies gegeven. Ik heb haar aangeraden het thuis te vertellen, omdat haar ouders haar steunpilaren zijn. Later heb ik zelf natuurlijk wel een weerslag gekregen. Zelf zat ik toen in een ontkenningsfase, want dit kon toch niet waar zijn?! Anne is wel roe-keloos, maar berekend roekeloos. Het klinkt heel tegenstrijdig, maar ze is heel wijs en tegelijkertijd heel naïef. Daarom wist ik niet zo goed wat ik ervan moest denken, maar ik wist wel dat ze het niet verdiende om in deze situatie verzeild te raken.* Tegelijkertijd beseft Tess dat het haar ook had kunnen overkomen, omdat het weleens gebeurt dat je onveilig seks hebt. *Iedereen komt weleens per ongeluk in de situatie waarin je seks hebt en een condoom vergeet. Dat is zo'n gewoonte, dat komt zo vanzelf op dat moment en achteraf denk je dan : Oh nee, ik heb mijn pil niet genomen, geen condoom gebruikt of een ander anticonceptiemiddel vergeten. Je denkt daar uiteindelijk niet meer bij na. En bij Anne was dat zeker zo, want zij was toen al heel lang samen met haar vriend. Ik had dus inderdaad wel het gevoel dat dit mij ook had kunnen overkomen. Maar liever niet natuurlijk.* Tess heeft bijgevolg veel begrip voor de situatie van Anne en probeert haar zo goed en zo kwaad mogelijk te helpen. Lief en leed delen bij zulke onverwachte wendingen in het leven, versterkt natuurlijk de vriendschap. Ook al was die in het begin misschien nog pril. *Toen ze het me vertelde, was ik eerder een toevallige vriendin, omdat we net samen op de hogeschool gestart waren. Ik ben pas later een goede vriendin geworden. Ik mocht haar heel graag en zij mij ook. Ik heb haar zwangerschap van heel dichtbij meegemaakt en beleefd. Deze situatie heeft onze band enorm versterkt.*

Grootouder in spe: in shock of verrassend begripvol?

Uiteindelijk kun je de confrontatie met je ouders niet langer ontlopen – ook Anne niet. Ze verwacht wel wat hevige reacties. Om het gesprek met haar eigen ouders te vergemakkelijken doet Anne dan ook een beroep op een bevriend koppel van haar ouders. *Ik heb hun gevraagd of ze bij ons thuis aanwezig wilden zijn toen ik het vertelde.* De vrees van Anne voor de reactie van haar ouders bleek niet geheel onterecht. *Zoals ik verwachtte, bleek het een goede keuze om vrienden van mijn ouders te betrekken bij het gesprek over mijn zwangerschap. Mijn moeder had immers opvang nodig, waar die vriendin dan kon voor zorgen. Die man was met mijn vader al meteen enkele praktische dingen aan het bespreken en regelen. Mijn moeder is er echt heel lang slecht van geweest. En ook echt boos op mij. Ze wou ook niets horen over baby's of zwangerschap. Ik denk dat ze vooral bijzonder ge-choqueerd was, ook nog lang daarna, wat zich dan uitte in boosheid. Die shock heeft wel een tijdje geduurd, maar later ging het beter. Toen ze het eenmaal wat verwerkt had, is ze zeker bij de zwangerschap betrok-ken geweest. Ze ging mee voor de geboortelijst, ik kon er met haar over praten en ze was uiteindelijk ook bij de bevalling. Mijn ouders woonden op een hoeve, waarvan een deel niet in gebruik was. Daarvan maak-ten ze een appartement. Dat leende zich er niet echt toe, maar ze hebben daar toch een keukentje geïnstalleerd en een badkamer, zodat ik koste-loos kon wonen. Ik woonde daar volledig apart, want de tussendeuren waren afgesloten en er was een aparte voordeur. Ze vonden dat ik zelf mijn verantwoordelijkheid moest nemen. Ik kan niet zeggen dat ze geen moeite hebben gedaan.*

Annes ouders bleken tijd nodig te hebben om hun eerste ver-bouwereerde reactie om te zetten in betrokken actie. Dat is niet verwonderlijk aangezien de zwangerschap vaak als een donder-slag bij heldere hemel komt. Niet zelden leidt dit tot een impul-sieve, misschien hardvochtige eerste reactie als gevolg van de aanvankelijke verwarring en verbijstering. Marianne, moeder van tienermama Lenthe en grootmoeder van de intussen vijf-tien maanden oude Alice, was met stomheid geslagen toen ze een sms'je kreeg van haar zeventienjarige dochter: 'Mama, ik heb prijs.' *Ik had Lenthe afgezet bij de dokter en was bij vrienden. Ik zei nog: 'Kun je dat nu geloven? Nu moet ze weer naar de dokter.' De dag ervoor had ze haar bloed laten controleren en nu moest ze terug voor het resul-taat. 'Dus ofwel is ze ziek, ofwel heeft ze aids, ofwel is ze zwanger.' Ik hoor het me nog zeggen. Toen kreeg ik haar bericht: 'Ik heb prijs.' Die telefoon vloog letterlijk door de kamer. Het was absoluut ongepland,* want haar verbazing was net zo groot als de mijne. Het regende ook heel hard en ik heb een uur in de regen gestaan, vol ongeloof. God, dit kan toch niet waar zijn! Ik was wild. Niet kwaad, maar wel gechoqueerd. Een vriend is haar gaan halen bij de dokter, want ik wou dat niet doen. Wat mij betreft kwam ze maar te voet naar huis. Mijn allereerste spontane reactie was dan ook dat het geaborteerd moest worden. Je vergooit je leven. Ik had het al eens eerder meegemaakt. Mijn zus was zestien toen ze zwanger werd, dus ik dacht dat de geschiedenis zich gewoon herhaalde. Ik was toen al het huis uit. Ze had het tegen niemand verteld en plots is ze bevallen en was die baby er. Aangezien zij ook een tienermoeder was, dacht ik dat zij misschien een steun zou kunnen zijn voor mijn dochter. Maar tot mijn grote frustratie was dat niet het geval. Toen ik het mijn familie vertelde, was het net de omgekeerde wereld: degenen van wie ik verwacht had dat ze moeilijk zouden doen, waren heel begripvol, maar bij mijn zus, van wie ik begrip verwachtte, stootte ik op onbegrip. Zo zei een van mijn zussen: 'Ga maar met ons Magda praten; zij zal wel zeggen dat ze direct abortus moet laten doen.' Het was – verbazend genoeg – mijn moeder die toen zei: 'Wat zeggen jullie toch allemaal? Dat is toch haar keuze?' Daarnaast zijn ouders zich welbewust van de veranderingen die een extra kind in hun gezinsleven zal brengen. Bovendien dacht ik ook aan mezelf: ik heb al vier kinderen en mijn partner en ik waren enkele maanden daarvoor nog maar net uit elkaar gegaan. Plots moest ik hier alles alleen betalen, alleen voor de kinderen zorgen… En dan komt daar nog zo'n klein monstertje bij, waar je allerlei dingen voor nodig hebt en dergelijke. Ik zag het echt niet zitten er nog een baby bij te hebben. Het was echt niet het goede moment.

De eerste reactie van Marianne klinkt heel herkenbaar. Wie zou er niet versteld staan van zo'n nieuws? Ook dat zij meent dat dit kind een stoorzender is in haar leven, is begrijpelijk. In interviews horen we echter ook andere reacties. Alhoewel het nieuws dat hun dochter zwanger is als een verrassing komt, reageren sommige ouders onmiddellijk zorgzaam, meevoelend en ondersteunend. Misschien hadden ze zich de toekomst voor hun kind wel anders voorgesteld, maar ze proberen begrip op te brengen voor de situatie die ook voor hun dochter niet gemakkelijk is. Zo is er het verhaal van Pauline. Zij raakte niet zozeer in paniek omdat ze zwanger was, maar wel omdat ze het onvermijdelijk tegen haar ouders zou moeten zeggen. Haar paniek bleek echter ongegrond. *Omdat mijn vriend en ik bij de ontdekking van de zwangerschap aan het kamperen waren, wilde ik eigenlijk een paar dagen wachten, tot we weer thuis waren, om het te vertellen. Maar mijn vriend had zijn moeder meteen gebeld en ze zei: 'We kunnen een abortus laten uitvoeren, dan hoef je dat niet tegen je ouders te zeggen.' Alsof ik zou kunnen verzwijgen voor mijn ouders dat ik een abortus had ondergaan? Dat wou ik niet. Ik schrok daar erg van! Eigenlijk had ik het liever persoonlijk verteld, maar het was dus telefonisch. Bovendien waren we in Nederland zodat ik geen lang gesprek kon voeren. Mijn moeder was heel kalm. Ze had me altijd gezegd: 'Zou je onverwacht zwanger zijn, dan zal ik nooit kwaad zijn', en ze heeft zich daaraan gehouden. Ze heeft me zelfs gerustgesteld, want ik was helemaal overstuur en huilde erg. Ze hebben het me nooit verweten en hebben het altijd geaccepteerd. 'Het is nu eenmaal zo, geniet nog eerst van je vakantie en we zien later wel verder.' Ergens was ik blij dat het via de telefoon was, zodat ik niet onmiddellijk geconfronteerd werd met de reactie van mijn vader. Hij was dan wel niet boos, maar hij dacht eerder aan abortus. Hoewel hij het niet met zoveel woorden zei, heeft hij wel geprobeerd me op dat spoor te zetten. Toen mijn ouders me ophaalden op de camping, kreeg ik van hen een dikke knuffel, omdat ze ook beseften dat het voor mij niet makkelijk was. Ze hebben even gevraagd hoe het heeft kunnen gebeuren* en gezegd dat ik had moeten nadenken, maar tegelijkertijd begrepen ze dat ik er uiteindelijk ook niets aan kon doen en er zelf niet om gevraagd had. Mijn ouders waren dus eigenlijk heel steunend. De rest van haar familie was minder begripvol – en dat is nog zachtjes uitgedrukt. Haar vier zussen, van wie er nog drie thuis wonen, ontvingen Pauline en haar kindje niet meteen met open armen. Mijn zussen waren er absoluut niet blij mee. Zij vonden dat 'dat kind weg moest', maar toen we besloten hadden het kindje te houden, hebben ze zich erbij neergelegd. Toch krijg ik er nog altijd commentaar op. Bijvoorbeeld van mijn zus die de situatie aangreep als excuus om het huis uit te gaan, omdat ze 'anders met een huilend kind in huis zat en niet zou kunnen studeren.' Ze denken ook dat ons mama ervoor zou moeten zorgen. Dat is kwetsend, want wie zegt dat ik niet zelf voor mijn kindje kan zorgen?

Ook Lien was op vakantie toen ze ontdekte dat ze zwanger was. Ze had er echter geen flauw benul van. Toen ze op wintersport met school tijdens het snowboarden viel, kreeg ze in het ziekenhuis te horen dat ze al vier maanden zwanger was. Haar ouders vernamen het nieuws via de telefoon, bij monde van een leerkracht, want Lien kreeg het niet over haar lippen. Ongeloof en verrassing aan de kant van haar ouders, Linda en Marcel, maar ook veel begrip en steun kenmerken hun reactie. We kregen telefoon van Lien uit Oostenrijk, waar ze op sneeuwklassen was. Mijn oudste dochter nam de telefoon op en zei: 'Hier moeke, ons Lien.' Lien zei dat ze een bloeding had en ik naar de gynaecoloog moest bellen. 'Ik lig in het ziekenhuis; ik ben gevallen en heb een bloeding.' Aangezien ze maar af en toe eens belt als ze weg is als alles goed gaat, vroeg ik: 'Wat heb je dan?' Ik maakte niet onmiddellijk de klik met een zwangerschap, want met een val kan je allerlei bloedingen krijgen. Maar haar placenta was gedeeltelijk afgescheurd en daardoor had zij vaginaal bloedverlies. Ze hadden daar een echo genomen en haar gezegd: 'Met de baby is alles in orde.' Ze hadden haar zelfs nog berispt: 'Waarom ga jij nog snowboarden als je al zo ver gevorderd bent in de zwangerschap?' Door haar reactie besefte de arts dat Lien niet eens wist dat ze zwanger was. Totaal onwetend was ze dus gaan snowboarden, want als je vier maanden zwanger bent, doe je dat normaal niet. Voor haar was de schok dus even groot als voor ons. Omdat ze begon te huilen aan de telefoon, nam een van de leerkrachten over en die zei rechtuit: 'Lien is zwanger.' 'Maar dat kan toch niet?' reageerde ik, waarop die leerkracht stelde: 'Ja, het is wel duidelijk dat ze zwanger is.' Onze eerste reactie was er een van ongeloof: 'Dat kan toch niet, want ze neemt toch de pil?' Liens zus zei: 'Hoe kan dat nu?' Het verklaarde wel veel; nu begreep ik wat er de laatste maanden mis was met haar. Niet dat ze signalen had van zwangerschap, maar ze was wel heel moe. Nu ja, een jaar daarvoor had ze klierkoorts gehad en aangezien dat heel lang, tot een jaar, in je lichaam kan blijven zitten, dachten we dat de vermoeidheid daarmee te maken had. Ze had ook wel hoofdpijn en soms rugpijn, maar aan zwangerschap had ik niet gedacht. En omdat ze de pil gebruikte, had ze elke maand nog haar menstruaties. Soms vroeg ik wel: 'Je bent toch niet zwanger?', omdat haar bloedverlies zo miniem was, maar ze verzekerde me dat dat niet zo was. Bij Marcel kwam meteen de vaderlijke bezorgdheid boven, eerder dan ongeloof. Het was gebeurd. Ik dacht: Moet je daar nu zo'n drama van maken? We zullen wel zien als ze volgende week weer thuis is en als dat kind geboren moet worden, dan zorgen we daar wel voor. Onze oudste dochter daarentegen stond heel afwijzend tegenover de zwangerschap en zag een klein kindje in huis eerst echt niet zitten.

Meer dan vier maanden zwanger, dat is al een heel eind. Was abortus, zoals Lien wilde, nog wel mogelijk? Zelf was ze er immers van overtuigd dat een kind haar jonge tienerleven in het gedrang zou brengen. Linda contacteerde zonder aarzelen de arts voor wie ze als verpleegster werkt. *Ik heb hem die avond meteen gebeld en gezegd: 'Nu zit ik ergens mee, ons Lien is zwanger.' Hij reageerde heel betrokken, beëindigde zelfs het eten in het restaurant waar hij was, vroeg hoe ver ze was en zei dat abortus op achttien weken in België uitgesloten was. Toen vroeg ik hem naar een gynaecoloog uit de streek die bereid zou zijn een brief te schrijven voor een abortus in Nederland. Hij vroeg me of Lien wel besefte wat haar te wachten stond; ik zei dat ik dacht van niet.*

Steun uit onverwachte hoek

Soms komt de zwangerschap aan het licht in aanwezigheid van een van de ouders, maar dit hoeft niet te betekenen dat zij meteen blij zijn met het nieuws. De geïnterviewde meisjes die dit meemaakten, vertellen hoe ze wel op onmiddellijke steun konden rekenen van anderen. Bijvoorbeeld wanneer er een vermoeden is van een zwangerschap, maar ze de uiteindelijke vaststelling hebben uitgesteld. Roos denkt dat ze zwanger is, maar durft het niet aan haar ouders te vertellen. Daarom houdt ze het nieuws verborgen, tot haar moeder een vermoeden heeft. *Mama ging samen met mij naar de dokter omdat ze iets vermoedde, maar ik was te bang om daarover te praten. Na de test kregen we daar de bevestiging van wat we al dachten. Op dat moment was ik al twintig weken zwanger. Het was ongepland. Ik was overrompeld en reageerde teruggetrokken. Erover praten ging moeizaam. Ik vroeg me af hoe het nu verder moest, op school en dergelijke, en zat met heel veel vragen. Ook mama was geschrokken, maar ze is eigenlijk nooit kwaad geweest. Ze had vooral gemengde gevoelens.* Haar vader reageert daarentegen heel uitdrukkelijk verontwaardigd. De omstandigheden en manier waarop hij de zwangerschap verneemt, blijken ook niet optimaal. *Papa was wel heel kwaad. Het is ook zo vreemd gelopen toen we het hem vertelden. Mama had hem gebeld en gevraagd om naar huis te komen, maar hij wou niet. Hij zat in de auto en zei dat ze het hem maar zo moest vertellen. Achteraf was hij boos omdat het zo gegaan was... Ik had wel verwacht dat hij kwaad zou worden, maar ik wist ook wel dat hij zich er uiteindelijk niet te veel om zou bekommeren omdat hij niet altijd betrokken is. Als we iets vragen, is het vlug te veel. Hij begreep niet hoe ik zo stom had kunnen zijn. Nu zegt hij dat soms nog.* Anderzijds geeft Roos wel aan dat haar vader er wel is om te zorgen voor praktische dingen. Hij lijkt zich neergelegd te hebben bij de situatie en probeert te helpen waar hij kan. Zo laat hij bijvoorbeeld bepaalde spullen in winkels opzijleggen voor haar, als Roos er advies over vraagt. Maar ze krijgt vooral steun uit onverwachte hoek, namelijk de ouders van haar toenmalige vriend en vader van het kindje. Zij zijn immers blij met het vooruitzicht van hun toekomstig grootouderschap. *Zijn enige zus kon geen kinderen krijgen, dus waren ze blij dat er toch een kindje kwam. Bij mijn vriend is dat wel wat geminderd. Misschien was hij er toch niet echt voor te vinden, want hij heeft zes maanden niet naar me omgekeken in de zwangerschap. Maar zijn ouders zijn er wel voor Bjorn, want als hij bezoekrecht heeft, is hij meer bij zijn grootouders dan bij zijn vader.* Hetzelfde geldt min of meer voor de reactie van haar grootmoeder, die blij was met het nieuws. *Mijn broer kreeg datzelfde jaar ook een kindje en ze had niet gedacht dat ze dat nog allemaal zou meemaken. Ze had al wel achterkleinkinderen, maar niet van haar favoriete kleinkinderen, denk ik.*

Het verhaal van Amy is een beetje vergelijkbaar. Nietsvermoedend ondergaat ze een echo in het bijzijn van haar stiefmoeder, met onverwachte gevolgen. *De ontdekking van mijn zwangerschap is eigenlijk een grappig verhaal. Ik had een chronische nierontsteking waarvoor een echografie moest gemaakt worden en toen zagen ze dat ik* ook zwanger was. Het nieuws kwam dus compleet uit de lucht vallen. Ik was natuurlijk geschrokken en wilde het niet geloven. Mijn stiefmama die erbij was, heeft me daarna onmiddellijk naar mijn partner gebracht. Ze was zelf ook helemaal in shock, vermoed ik, en ze wou overleggen met mijn pa. Dus zij heeft het aan mijn vader verteld. Zoals Linda en Marcel vrij snel wisten wat hun dochter te doen stond, namelijk het kindje houden, zo waren Amy's vader en stiefmoeder ervan overtuigd dat abortus de beste keuze zou zijn. Haar moeder daarentegen was heel opgetogen, maar de druk van de familie bleek te groot. In het begin was mama meteen heel blij; ze was tenslotte zelf ook jong moeder geworden – ze was zeventien toen ze in verwachting raakte van mij. Haar familie maakte het haar nu echter bijzonder moeilijk, waardoor ze een tijd het contact met mij verbroken heeft. In de loop van de zwangerschap is dat wel veranderd. Voor de rest van de familie niet; die hebben geen contact meer met mij gehad. Ook voor Amy komt de steun uit de onverwachte hoek van de familie van haar vriend. We hebben vooral veel steun gekregen van Simons familie. We waren allebei erg geschrokken, maar vooral bang om het hun te vertellen. Ook omdat hij elf jaar ouder is en onze seksualiteit dus in principe illegaal was. Voor de zekerheid zijn we samen naar de politie gestapt, om te verklaren dat onze relatie met mijn toestemming plaatsvond – gewoon om er zeker van te zijn dat we achteraf geen problemen zouden krijgen als iemand het in zijn of haar hoofd zou halen om een klacht in te dienen. Maar juist omdat hij ouder was, waren zijn ouders heel blij. Ze moesten er zelfs om lachen dat hij eerst bang was om het te vertellen; het was immers iets om blij om te zijn. Het feit dat ik zo jong was, was voor hen geen probleem.

Gepland door de ouders, toch niet onmiddellijk gewenst door de familie

Zelfs wanneer de zwangerschap gepland is door de tieners, hoeft dit niet te betekenen dat een positieve zwangerschapstest met open armen onthaald wordt door de ouders, familie en vrienden. Misschien denken deze tieners iets te makkelijk dat hun ouders in hun vreugde en enthousiasme zullen delen, maar worden ze in werkelijkheid geconfronteerd met dezelfde reacties van afwijzing, onbegrip en twijfel als andere zwangere tieners. Marie en Carlo voelden wel al vooraf aan dat ze misschien niet de verhoopte steun van hun ouders zouden krijgen. Daarvan getuigt de angst die ze hebben om hun het 'goede' nieuws mee te delen en de voorzichtigheid waarmee ze proberen het juiste moment hiervoor te kiezen. *Ik had al aan mijn moeder gezegd dat ik vroeg kindjes wilde en op de leeftijd van negentien was ik dan zwanger. Ik was wel bang om het mijn ouders en grootouders te vertellen. Met Kerstmis hadden we ieder een cadeautje gegeven met daar een tekstje bij dat we zwanger waren, omdat niemand op dat moment slecht gezind kan zijn. Dus dat werd goed ontvangen. We kregen wel een vreemde blik toegeworpen en mijn mama was niet echt blij met het nieuws. Een paar dagen later zei ze ook: 'Zie maar dat je het redt, dat je het kunt verzorgen en onderhouden.' Carlo had toen ook nog geen werk, dus er waren wel wat mogelijke problemen of zorgen. Mijn stiefvader zei niet zo veel. Misschien dacht hij hetzelfde als mijn moeder, maar hij liet het niet zien. Mijn echte vader heb ik wat foto's gestuurd zodat hij weet hoe de kindjes eruitzien. Maar behalve via de computer hebben we geen contact. Van moeke, mijn grootmoeder, kregen we uiteindelijk de meeste steun. Terwijl anderen zeiden: 'Goh, wat heb je nu gedaan... je hebt nu al nergens geld voor', zei moeke: 'Het is nu eenmaal zo... Wat gebeurt, moet gebeuren en we zullen het nu ook groot krijgen.'*

Bij de familie van Carlo is de verontwaardiging nog groter, wat resulteerde in een bijzonder harde en pijnlijke uitspraak van zijn vader. *Zijn papa reageerde botweg: 'Als er iets is, dan breng je het maar naar mij en verzuip ik het wel in een vat met water.' Die reactie is me nooit goed bekomen. Zoiets zeg je niet, ook al is het niet welkom. Dat zeg je nooit. Zijn reactie bleef me bij, zoiets vergeet je niet.* Gelukkig vermindert deze bitterheid en afwijzing wel in de loop van de zwangerschap. Zeker nu, enkele jaren later en de kindjes niet meer weg te denken zijn uit hun leven, is de relatie stukken beter. *Nu het kindje er is, is er geen probleem meer. Bij ons tweede kindje ging het net zo, alsof het niet welkom was voor mijn moeder. En nu zijn het haar hartendiefjes. Dat is ook zo voor de vader van Carlo. Uiteindelijk zijn het nu de beste maatjes, mijn kinderen en hij. Dus ik weet niet waar het probleem zat. Misschien omdat ik met negentien al zwanger was...*

Dertig jaar geleden was het zo mogelijk nog moeilijker. Het taboe rond tienerzwangerschap was toen nog veel groter en sterker aanwezig. Laat staan dat een jong koppeltje hier bewust zou voor kiezen! Gewenst en gepland door Myriam en Eric, en hoewel de toekomstige grootouders aanvoelen dat de relatie menens is, is hun kleinkindje nog niet welkom. Vooral voor de ouders van Myriam blijkt het moeilijk. Op vakantie met de familie – waar ze allebei in aparte kamers moeten slapen – ontdekt het jonge koppel dat Myriam zwanger is. Maar Myriam wil haar ouders liever nog even van hun vakantie laten genieten, want ze verwacht geen blijde reactie. *Ondanks het feit dat we een zwangerschapswens hadden en na een relatie van twee jaar besloten om samen door het leven te gaan, kregen we een negatieve reactie van mijn ouders. Zo heeft mijn vader geen woord gezegd, maar begon hij enorm te wenen. Hij is met de fiets naar familie gereden. Daar kon hij terecht als er iets was. Daar kon hij ventileren.* Uiteindelijk keert het tij vrij snel, althans wat de praktische kant betreft. *Hij kwam terug en zei: 'Ik heb een huis voor jullie gevonden.' Dus werd de situatie aanvaard.* Ook Erics ouders schrokken, maar zijn moeder had er meteen vertrouwen in. *Ik heb vrij snel mijn ouders ingelicht en in eerste instantie schrok mijn moeder wel. Ze vroeg wat we nu gingen doen. Onmiddellijk daarna gaf ze echter wel vertrouwen, omdat ze wel geloofde in Myriam. 'Myriam, die zal dat wel kunnen.'* Deze steun betekende veel voor het koppel, maar de schaamte en de afkeuring zouden ze nog lang met zich meedragen.

Wat nu?

De eerste reactie van de omgeving van de zwangere tiener en haar eventuele partner kan bijzonder hard, pijnlijk en kwetsend overkomen – vooral wanneer de ouders heel emotioneel reageren terwijl de tieners vooral hopen op steun. Vaak betreft het een spontane eerste reactie die later afzwakt en uiteindelijk steunen de ouders hun kind wel. Ouders hebben ook een mening over wat nu te doen staat, komen met 'goede raad', beïnvloed door wat ze denken dat het beste is voor hun zoon of dochter, maar ook door de angst voor wat de mensen zullen zeggen, de 'schande', de andere kinderen in het gezin... Hieruit blijkt dat tieners vooral op zoek zijn naar erkenning door de ouders; de bredere familiekring of vrienden- en kennissenkring heeft een beperkter belang. Zodra de familie op de hoogte is, dringt zich de nood aan een beslissing op: zal de tiener het kindje houden of kiezen voor een andere optie?

DE RELATIE TUSSEN (GROOT)OUDER EN (KLEIN)KIND

Voor de meeste geïnterviewde meisjes of vrouwen bleek de relatie met de ouders, voornamelijk ten aanzien van hun moeder, een gevoelig thema, voor sommige zelfs niet (helemaal) voor publicatie vatbaar. Vaak omdat zij intussen samen een verwerkingsproces doormaakten, opnieuw een respectvolle vertrouwensrelatie opbouwden en nu samen genieten van hun (klein)kinderen. Soms is de ongeplande tienerzwangerschap ook niet de oorzaak van de relationele of communicatieproblemen tussen ouder en kind. Voor sommige ouders is de zwangerschap van hun dochter alleen de druppel. De zwangerschap wordt dan gezien als de bevestiging van het totaal ontspoord zijn van hun dochter, bijvoorbeeld wanneer ouders al eerder problemen hebben ervaren, zoals drugsgebruik, spijbelen, slechte resultaten op school, allerlei vormen van opstandig gedrag en zo meer. Het is dan moeilijk om de zwangerschap los te koppelen van eerder begane 'misstappen' van het kind. Sommige ouders lijden ook onder de afstand die hun kinderen van hen nemen. Hun kinderen vertellen dan al niet meer alles thuis en zijn veel van huis weg. Als het kind zwanger blijkt te zijn, wordt dat ervaren als een zoveelste afwijzing. Opnieuw een brug slaan – eventueel in het belang van het kleinkind – is dan geen gemakkelijke opdracht.

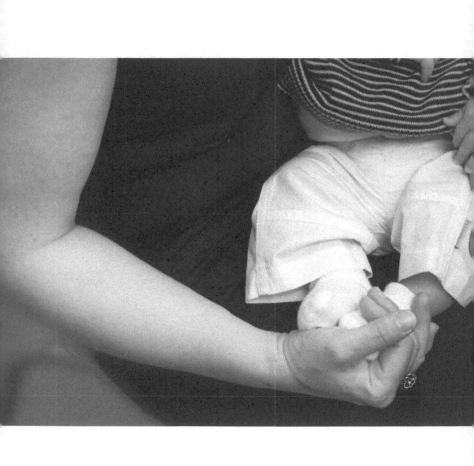

HOOFDSTUK 3

EEN KEUZE VOOR HET LEVEN? OVER DE BESLISSINGSFASE...

Toen ik ontdekte dat ik zwanger was, overviel de paniek me. Als zestienjarige stort je wereld helemaal in. Alles wat je nog kunt doen, alles wat je nog wou doen... het stuikt in elkaar als een kaartenhuisje. Je kunt immers niet meer alles en zult dat ook nooit meer kunnen. Maar ook al was ik in paniek, ik wist wel dat ik het kindje wilde houden.

Wanneer je als tiener onverwacht geconfronteerd wordt met een zwangerschap, volgt onvermijdelijk de nood aan een beslissing. Alleen wanneer het een bewust geplande zwangerschap is, komt deze vraag uiteraard niet op. Zal ik het houden of overweeg ik abortus? Wat zijn andere alternatieven en hoe sta ik ertegenover? Ook als je niet uitdrukkelijk kunt of wilt beslissen, maak je een keuze om ten minste je zwangerschap uit te dragen. Kenmerkend voor beslissingen op belangrijke kruispunten in het leven is dat ze onomkeerbaar zijn: je kunt niet meer terug. Bovendien betekent een keuze ook telkens een verlies. Je doet afstand van datgene wat je niet gekozen hebt: ofwel van het kind, ofwel van een 'onbezorgde' jeugd. Tegelijkertijd heb je geen houvast om deze beslissing te nemen, want je was nog nooit met zo'n ingrijpende keuze geconfronteerd. Wat je ook besluit, de consequenties zijn zwaar: jouw leven zal grondig veranderen. Als je het kind wilt houden, heeft dit tevens gevolgen voor het leven van andere betrokken partijen zoals je vriend, ouders en omgeving. Het is dan ook begrijpelijk dat vele jongeren voor deze beslissing niet over één nacht ijs gaan. Slechts enkelen weten meteen wat hen te doen staat, zoals Alexia. Ook al slaat de angst haar om het hart, het is zonneklaar dat ze haar kindje zal houden. Andere alternatieven, zoals abortus en adoptie, worden meteen uitgesloten. *Als ik een lijstje had moeten maken met pro's en contra's, dan zou er bij contra alleen maar gestaan hebben dat ik veel zou moeten laten vallen en plots heel veel verantwoordelijkheid zou krijgen. Maar dat weegt niet op tegen alles wat je ervoor in de plaats krijgt. Dat is echt iets van jou en je ziet dat graag. Aangezien ik ook wist dat ik dat kindje nooit zou wegdoen, was zo'n lijstje overbodig. Ik ben tegen abortus. Je kunt dat niet maken, vind ik. Als je een kind verwekt hebt, moet je er maar voor zorgen ook. Dus dat was uitgesloten. En ik ga ook niet negen maanden met een kind rondlopen om het dan, wanneer het geboren is, weg te geven. Dus heb ik besloten: 'Kijk, het is er nu en ik zal mijn verantwoordelijkheid nemen. Wat ik daar ook moet voor laten.'*

Ook Evelien wist onmiddellijk dat ze het kindje zou houden en alternatieven waren voor haar ondenkbaar. Haar vriend Hendrik is eerst minder zeker van zijn zaak. *Voor mij was het meteen duidelijk: ik besefte dat ik zwanger was en wilde het kind houden. Mijn vriend wilde echter kiezen voor adoptie, omdat hij meende dat we nog niet klaar waren om ouders te worden. Maar ik kon me noch abortus, noch adoptie, noch een pleeggezin indenken als alternatieven. Ik kende een paar meisjes die abortus hadden ondergaan en die daar mentaal nog altijd problemen mee hadden. Dat leek me niet zo'n leuk vooruitzicht, dus*

dat was geen optie. En alleen al bij de gedachte aan adoptie of een pleeg-
gezin raakte ik in paniek omdat ik mijn kindje dan zou moeten afstaan.
Daar komt bij dat ik zelf een ivf-baby ben. Ik kon me niet voorstellen dat
ik later misschien zelf problemen zou krijgen om nog kinderen te heb-
ben en mijn eigen kind ergens anders zou moeten zien opgroeien. Dus zei
ik tegen mijn vriend: 'Ik hou het.' Uiteindelijk heeft ook haar vriend
zijn verantwoordelijkheid genomen. *Hij heeft ervoor gekozen bij mij*
en Xavier te blijven. Nu, tweeënhalf jaar later, zijn Evelien en Hendrik nog steeds samen. Haar ouders kregen niet de kans om in
de beslissingsfase betrokken te worden. Wellicht speelt de vastberadenheid van Evelien hierin een rol, maar er waren ook omstandigheden waardoor ze liever even wachtten om het nieuws
te vertellen. *Het was niet uit angst voor de reactie of voor eventuele*
inmenging in de beslissing dat we verzwegen dat ik zwanger was. Maar
het leek gewoon nooit het goede moment, omwille van de aanslepen-
de ziekte van mijn mama. Dus hebben we vijf maanden verzwegen dat
ik zwanger was. Op dat moment was abortus geen optie meer. Mama
stond er vooral op dat ik thuis zou blijven wonen. Mijn vader was wel
teleurgesteld. Indien hij het eerder had geweten, had hij wel abortus ge-
suggereerd, maar hij zou me nooit verplicht hebben. En aangezien ze
pleegzorg of adoptie ook niet zagen zitten, was er niets meer dat zij nog
aan de beslissing konden veranderen.

Rook om je hoofd...

Wellicht is het voor de meeste meisjes niet zo helder. De verwarring van de crisissituatie waarin zij zich bevinden, vertroebelt
immers hun denken en voelen. Op deze jonge leeftijd zo'n 'volwassen' beslissing moeten nemen valt hun zwaar. Wanneer ze alternatieven overwegen, valt wel eenzelfde tendens op: enkel abortus lijkt een plausibel alternatief. De mogelijkheid van adoptie of

pleegzorg is vaak niet bekend, of ze vinden het geen overwegenswaardige optie, maar staan er weigerachtig tegenover.

Zo speelde abortus als alternatief vaag door het hoofd van Ellen. Maar het bezoek aan de gynaecoloog maakte haar beslissing gemakkelijker. *Je denkt wel even aan abortus. Je weet dat het een alternatief is, maar ik heb nooit gedacht dat ik dat echt zou doen. Ik denk dat je daar je leven lang spijt van zou hebben. Ik ben naar de gynaecoloog geweest met mijn moeder. Zij bleef in de wachtkamer en de gynaecoloog vroeg bij het binnengaan of ik psychische hulp nodig had, maar ik reageerde niet. Toen hebben we de echo gedaan en dat heeft vooral de doorslag gegeven voor mijn beslissing. Tijdens de echo zei de gynaecoloog: 'Als je dat hartje ziet kloppen en je ziet dat kindje, dan doe je dat niet meer weg, toch? Ik heb onmiddellijk bevestigd dat ik het wilde houden, zeker als ik dat hartje zo zag. Ze vroeg nogmaals of ik psychologische of andere hulp nodig had, maar ik heb dat geweigerd. Toen we weer thuis waren, zei ik tegen mijn moeder dat mijn beslissing vaststond en dat ik het zou houden, waarop mijn ouders me proficiat wensten: 'Nu het er gaat komen, is het welkom.'*

In eerste instantie reageerde Ellens moeder bijzonder geëmotioneerd, wat voor de nodige familiale turbulenties zorgde. Deze verwelkoming betekent dan ook een enorme wending in het verhaal van Ellen en haar familie. Bovendien krijgt ze nu de steun waar ze in het begin zo naar verlangde... Althans van haar directe omgeving, want net zoals zoveel tienermoeders moet Ellen opboksen tegen allerlei vooroordelen uit haar omgeving. Dat is kwetsend, maar het beïnvloedt haar beslissing niet. *De reacties en meningen van anderen herinner ik me nog; ik kan wel vergeven, maar niet vergeten. Zo heb ik als kinderoppas bij een koppel met drie kindjes gewerkt die in het begin nog niet wisten dat ik zwanger was. Uiteindelijk kon ik natuurlijk niet anders dan hen op de hoogte brengen. De* echtgenoot is meteen daarna naar de poetsvrouw gestapt: 'Weet ze wel van wie dat kind is? Wie hebben we nu in huis gehaald?' Enerzijds kan ik die reactie wel begrijpen; ik laat ook niet om het even wie bij ons kindje. Anderzijds wist ik wel degelijk wie de vader was en ik kwam ook uit een deftig gezin... Met zulke reacties heb ik in mijn beslissing wel nooit rekening gehouden, maar het kwetste me wel heel erg.

Bij sommige tieners gaat de twijfel verder, wat hen ertoe noopt om de stap naar een abortuscentrum te zetten. Dit hoeft niet te verwonderen als je weet dat ongeveer de helft van de tienerzwangerschappen resulteert in een abortus. Els, leerkracht in een secundaire school, beschrijft drie verhalen van leerlingen die voor abortus kozen. Twee van hen zitten toevallig bij elkaar in de klas, maar ze weten niets af van elkaars zwangerschap. Het zijn ook twee uiteenlopende verhalen. Het eerste meisje is zeventien wanneer ze zwanger blijkt. *Ik vraag altijd wie er al op de hoogte is, omdat dit voor een deel bepaalt wat er gaat gebeuren. Op dat moment had ze het thuis al verteld, maar haar ouders zetten haar niet onder druk en lieten de keuze bij haar. Het meisje was ten einde raad. Samen bespraken we de voor- en nadelen van het al dan niet houden van het kindje. Omdat haar vriend al werkte, vermoedde ik dat het uitdragen van de zwangerschap een reële keuzemogelijkheid bleef. Zij zou gewoon haar secundair kunnen afmaken, terwijl hij al werkte. Gedurende de vier weken van het beslisssingsproces blijft ze echter twijfelen – tot het laatste moment. Vooral schuldgevoelens waren een belangrijk gespreksonderwerp, en wel in twee richtingen: hoe erg is het voor het kindje als ik het houd en ik doe het niet goed, maar wat als ik abortus onderga en schuldgevoelens krijg? Rond de 'deadline' besliste ze 's vrijdags om het kindje te houden. Maar op maandag was ze afwezig. Blijkbaar was ze plots van mening veranderd. Ik vermoed – maar dat is slechts mijn interpretatie – omwille van relationele problemen. Een andere leerling gaf me te kennen dat ze die dag naar het abortuscentrum is gegaan. Ik heb nooit zeker geweten wat haar op andere ideeën heeft gebracht. Ze zegt wel geen spijt te hebben van de abortus.*

De tweede leerlinge komt pas bij Els aankloppen wanneer ze al abortus had ondergaan. Ze wou het gewoon even laten weten, omdat ze aanvoelde dat de leerkrachten vermoedden dat er iets aan de hand was. Maar ze wou er verder niet over praten, niet met Els, noch met jaargenoten. *Ze gaf aan dat ze de knop had omgedraaid en dat ze nu opnieuw goed aan het werk ging. Die leerlinge heeft haar beslissing alleen genomen en uitgevoerd. Ze heeft thuis niets gezegd en heeft op eigen houtje een afspraak gemaakt in het abortuscentrum. Alleen haar vriend was op de hoogte. Ze heeft het pas thuis verteld toen de abortus al achter de rug was. Ze kon het niet langer verbergen: ze was snel uit haar doen en vaak boos, waardoor de moeder begreep dat er iets aan de hand was. Haar mama was uiteraard heel teleurgesteld dat dit allemaal zonder haar medeweten was verlopen. De leerlinge zelf heeft zich geconcentreerd op het succesvol afwerken van het schooljaar. En aangezien de abortus een bewuste keuze was, had ze geen nood aan verdere gesprekken. Het was een afgesloten hoofdstuk.*

De ouders van de derde zwangere tiener maken haar heel duidelijk dat ze haar niet steunen als ze het kindje wil houden. Hoewel Els vermoedt dat het ook voor het meisje een uitgemaakte zaak is, bespreken ze de alternatieve mogelijkheden van pleegzorg en adoptie. *Ook heb ik uitgesproken dat ik het jammer zou vinden als ze alleen maar voor abortus zou kiezen omdat ze door haar ouders onder druk gezet werd. Ik vond dat ze haar eigen beslissing moest nemen, en niet die van haar ouders. Uiteindelijk koos ze toch voor abortus. Maar ik weet niet of het háár beslissing is geweest, want het is een heel complex meisje. Ze is een gesloten boek. Haar schoolresultaten lijden er echter onder, dus heb ik haar gevraagd om eens langs te komen, maar ze wil niet.* Waar de andere meisjes blijkbaar wel een manier gevonden hadden om met hun keuze om te gaan, bleef het voor dit meisje onduidelijk. Op zo'n moment is het moeilijk om los te laten en moet je als hulpverlener zien om te gaan met je eigen gevoelens van machteloosheid. 'Aanklampende zorg' door middel van actieve uitnodiging tot gesprek vanuit een open, niet-veroordelende houding is het enige wat je als hulpverlener doen kunt.

Deze getuigenissen geven ons – zij het beknopt en indirect – een impressie van hoe verschillende meisjes op een zwangerschap reageren en omgaan met de mogelijkheid om het kindje niet te houden. In onze zoektocht voor onze interviews bleek het niet eenvoudig om meisjes of vrouwen die als tiener abortus hebben ondergaan, op een directe manier aan het woord te laten, hoewel dit wel onze uitdrukkelijke bedoeling was. Sommige van de geïnterviewde meisjes geven wel aan dat ook zij abortus hebben overwogen of althans naar het abortuscentrum zijn gegaan – al dan niet onder druk van hun ouders. Aya bijvoorbeeld, had vanaf het begin de intuïtie om haar kindje te houden. Haar ouders waren geschrokken, maar lieten meteen merken dat het haar keuze was – wat ze ook zou doen. Toch is ze naar een abortuscentrum gegaan. *Samen met mijn mama ben ik naar een abortuskliniek geweest, maar toen ik daar binnenkwam, voelde ik een koude rilling over mijn rug gaan. Ze vertelden me ook over de ingreep alsof het niets betekende. Ik kreeg weliswaar tijd om na te denken, maar ben niet meer terug geweest.*

Voor de vader en stiefmoeder van Amy leek abortus de beste optie, maar ook zij was ervan overtuigd dat ze haar niet op andere ideeën zouden kunnen brengen. *De dag nadat mijn papa en stiefmama ontdekten dat ik zwanger was, hebben ze me meegesleurd naar een abortuscentrum voor een eerste gesprek. Een deel van dit gesprek* verliep met hen erbij, maar een ander deel was ik alleen. Ik ben natuurlijk baas over mijn lichaam en dus moesten ze in het centrum ook mijn mening horen. Het was voor mij echter duidelijk dat ik geen abortus zou laten doen. In het abortuscentrum wilden ze wel even navragen of zowel ik als mijn partner het kindje wilden houden. Ze stonden er neutraal tegenover: ze waren niet opdringerig, hoewel ze wel vroegen of ik wist waar ik aan begon. Maar ze hebben me nooit gezegd dat ik het nu moest laten weghalen. Thuis ging mijn beslissing echter gepaard met de nodige ruzies.

Voor Pauline wordt het abortuscentrum een vertrouwde plek waar ze haar twijfels de vrije loop kan laten en vrijuit kan praten. Maar het zijn wel degelijk háár twijfels, want de 'goede' raad van anderen slaat ze in de wind. Zelfs haar vriend, die haar vooral aanmoedigde om abortus te ondergaan (wellicht onder druk van zijn ouders), had geen invloed op haar. Ook de mening van haar zussen kon haar gestolen worden. Ik wist wel dat ze wilden dat ik het liet weghalen. Maar wanneer ik het huis uitga, hebben zij er geen last meer van. Dus waarom zou ik met hen rekening houden als het om mijn toekomst gaat? Enkel haar ouders zouden haar beslissing kunnen beïnvloeden. Haar moeder hield zich afzijdig. Mijn moeder heeft nooit haar mening gezegd, zelfs niet als ik vroeg: 'Wat denk jij?' Ze zei altijd dat het mijn keuze was. Haar vader daarentegen stuurde explicieter aan op een abortus en bracht deze mogelijkheid ter sprake. Uiteindelijk wilde ook hij haar niet dwingen tot een bepaalde beslissing, maar legde de verantwoordelijkheid bij zijn dochter. Als hij had mogen kiezen, zou het weggehaald zijn. Maar hij heeft me altijd gerespecteerd in mijn keuze. Haar ouders hebben ook met de ouders van de tienervader gesproken, maar waren verbaasd dat zij zich zo verzetten tegen het kindje. Ook tegenover zijn ouders benadrukken ze dat het Paulines keuze is. Deze vrijheid opent deuren en geeft het tienermeisje ruimte, maar legt ook meteen de verantwoordelijkheid bij haar alleen. *Ik heb héél lang getwijfeld. Ik heb altijd wel het perspectief voor ogen gehad dat ik het zou houden, maar de keuze voor abortus is ook heel dichtbij geweest.* Pauline had op een bepaald moment een afspraak voor een abortus, maar kon het niet over haar hart krijgen. *Zodra die dag dichterbij kwam, dacht ik: Ik kan het niet, neen, ik kan het echt niet. Ook het feit dat ik zo graag kinderen zie en het idee dat dit kindje in je buik leeft, met een kloppend hartje... Neen, dat kon ik niet.* En andere opties? *Alternatieven zoals pleegzorg of adoptie heb ik nooit overwogen, heb daar ook nooit info over opgezocht. Ik zou het me nu niet meer kunnen inbeelden om dat kind af te staan. Ik zou het weghalen als ik het zelf niet aankon, maar als ik het hield, zou ik het ook wel zelf opvoeden.* Pauline blijft echter twijfelen, maar kan gelukkig terecht bij een psychologe. *In het abortuscentrum heb ik een viertal gesprekken gehad met de psycholoog. Telkens ik twijfels had, kon ik daar direct terecht. Dan telefoneerde ik en binnen de drie dagen volgde dan een afspraak. Op het einde van het gesprek dacht ik telkens: Oké, nu kan ik er weer even tegen. Eigenlijk heb ik tot bijna 23 weken zwangerschap getwijfeld, ook omdat de relatie met mijn vriend beëindigd was. Van die breuk ben ik echt ziek geweest en toen wou ik het laten weghalen. Totdat mijn psycholoog zei dat het moment gekomen was om me bij de situatie neer te leggen, want je kunt niet blijven twijfelen. Bovendien was het toen al te laat om het nog te laten weghalen, of ik moest diezelfde dag nog beslissen.*

Wat maakte Pauline nu zo onzeker? Welke twijfels deden de balans overhellen in de richting van een abortus? *Er was de angst voor het onbekende. Aangezien ik een autismespectrumstoornis heb, vroeg ik me af hoe ik erop zou reageren. Ik sta immers zelf niet zo stevig in mijn schoenen. Ik kan zelf al niet heel veel aan, dus laat staan met een kind erbij. Wat mij echter vooral dwarszat, was de vraag of ik ooit nog een nieuwe vriend zou krijgen als ik het kindje hield. De kans dat je dan nog een goeie jongen vindt, is veel kleiner dan wanneer je een gewone puber bent. Die angst om nooit meer een nieuwe vriend te vinden heeft heel veel door mijn hoofd gespeeld. Maar ik heb geluk gehad!* Want intussen heeft Pauline een nieuwe vriend leren kennen die er heel bewust voor kiest om een vaderrol op zich te nemen voor een kind dat niet het zijne is. Hij stond volledig achter haar beslissing, maar heeft de keuze telkens bij haar gelegd. *Toen ze naar mijn mening vroeg, heb ik altijd benadrukt dat het haar keuze is.* Eén keer heeft hij haar twijfels bevraagd. *'Zou je het nog wel wegdoen, het beweegt immers al?',* vroeg hij me. Nu, hoogzwanger, kijkt Pauline tevreden terug op haar beslissing. *Nu ben ik echt blij met mijn beslissing om het kindje te houden. Ik zie de toekomst samen met mijn vriend heel positief.* De steun die ze ervaart van haar ouders en haar vriend zijn hierin ongetwijfeld cruciale factoren.

Wanneer kiezen uitgesloten lijkt

Soms lijkt een keuze ver weg. Het is immers niet ongebruikelijk dat tieners er pas later achterkomen dat ze zwanger zijn. Een onregelmatige cyclus maakt hen misschien minder alert op een mogelijke zwangerschap. Of het uitblijven van de menstruatie bekommert hen niet, omdat dit niet ongewoon is tijdens de puberteit. Wanneer de zwangerschap dan ontdekt wordt, kan het te laat zijn voor abortus. In België kan een abortus wettelijk gezien niet later plaatsvinden dan na twaalf weken zwangerschap. Bijgevolg zijn sommige tieners gedwongen het kind te houden en is er niet echt sprake van een bewuste keuze, tenzij ze opteren om de abortus buiten de landsgrenzen te laten uitvoeren zoals in Nederland, Engeland of Spanje, waar het zelfs tot 24 weken zwangerschapsduur kan. Alternatieven zoals adoptie of pleegzorg blijven natuurlijk wel nog mogelijk.

Roos is twintig weken zwanger wanneer de dokter haar vermoeden bevestigt. Toch is het afwachten tot het bezoek aan de gynaecoloog om vast te stellen hoe ver de zwangerschap gevorderd is. Aangezien abortus op dat moment nog een optie is, bespreekt ze dit met de vriendin van haar broer. *Zij heeft met mij over abortus gesproken. Ze had het immers ook zelf ondergaan, in haar vorige relatie. Ik wist dat niet, niemand eigenlijk. Ze heeft dat toen wel verteld en ook gezegd dat ik zelf moest zien wat ik deed.* Dat was ook de reactie van haar moeder. Dus ook Roos krijgt de volledige keuzevrijheid en laat zich niet beïnvloeden – ook niet door haar vriend. *Anderen hebben mijn beslissing niet beïnvloed, ook mijn moeder niet. Ik denk niet dat mijn vriend er helemaal achter stond, maar dat hij de verantwoordelijkheid eerder op zich nam omwille van zijn ouders. Hijzelf wou het niet echt, naar mijn gevoel.* Op de echo in het abortuscentrum stellen ze vast dat ze al vijf maanden zwanger is en ze wordt doorverwezen naar een gynaecoloog. Abortus is in ons land op dat moment uitgesloten, maar niet overal zoals de gynaecoloog aangeeft. *Ik had een abortus kunnen laten doen in Engeland. Dat zou wel veel geld kosten, maar het kon nog. Hij zei ook dat ik dan wel zeker van mijn zaak moest zijn.* Ondanks de situatie heeft Roos toch het gevoel dat ze uitdrukkelijk voor haar kindje gekozen heeft. Ze had immers ook anders kunnen beslissen, maar heeft dat niet gedaan. *Adoptie, dat wou ik niet, omdat je dan weet dat er een kind van jezelf is, dat ergens leeft. Ik had het moeilijk met het idee dat er zo iemand dan ergens zou rondlopen. Pleegzorg heb ik niet overwogen. Uiteindelijk heb ik dan toch bewust voor ons kindje gekozen.* Misschien was het anders gelopen indien ze nog binnen de wettelijke termijn voor abortus had kunnen kiezen, maar dat is achteraf moeilijk in te schatten. *Als ik die twaalf weken nog niet had overschreden toen ik vernam dat ik zwanger was, had ik abortus misschien wel als een optie overwogen. Maar achteraf kun je natuurlijk niet meer zeggen wat je toen zou gedaan hebben.*

Ook Anne had geen keuze, of toch? Niet omdat ze te laat ontdekte dat ze zwanger was. Wel omdat haar huisarts een foute inschatting maakte. Gedurende de eerste weken van haar zwangerschap wordt ze geconfronteerd met uitersten aan feiten en gevoelens, het is als het ware een emotionele roetsjbaan. Dat begint reeds bij de ontdekking van haar zwangerschap. *Mijn menstruatie bleef weg. Ik heb toen drie zwangerschapstesten gedaan. Keer op keer waren ze negatief. Dus elke keer was er die opluchting. Maar omdat ik nog steeds niet ongesteld werd, suggereerde mijn vriend om toch maar eens naar de dokter te gaan. Ik weet het aan stress van de examens en dergelijke, dus als het van mij afhing, zou ik niet eens naar de dokter gegaan zijn. Een bloedtest wees uit dat ik toch zwanger was.* Anne ontwaakt uit haar roes en de drievoudige opluchting moet plaatsmaken voor de realiteit. Maar daar stopt het niet. *De dokter dacht dat ik twaalf weken zwanger was. Dus zei hij: 'Je zult sowieso je kindje moeten krijgen. Het is al te laat, je kan geen abortus meer laten doen.' Maar toen ik later naar de gynaecoloog ging, bleek ik maar zeven weken zwanger te zijn!* Op het moment dat Anne van opluchting in paniek beland is en haar eerste indrukken heeft verwerkt, blijkt dat ze minder lang zwanger is dan aanvankelijk gedacht. Waar abortus eerst geen optie meer leek, opent zich nu toch die mogelijkheid. Maar die mentale stap blijkt niet zo eenvoudig. *Ondertussen waren we echter al zo veel verder. Ik had het al aanvaard, ik had me erbij neergelegd. Intussen wisten ook de meeste mensen in de familie het. Ik kon dat niet meer terugdraaien... In* haar beleving leek het dan ook alsof ze geen keuze meer had; de keuze was voor haar gemaakt op het moment van het eerste doktersbezoek. *Dus voor mij is het altijd geweest alsof ik inderdaad twaalf weken zwanger was en geen keuze meer had tussen abortus of geen abortus. Ik zou het ook echt niet weten wat ik zou hebben beslist als ik vanaf het begin geweten had dat ik maar zeven weken ver was. Misschien had ik abortus laten uitvoeren, misschien niet; ik weet het niet.*

'Ik weet wat de beste keuze is voor mijn zwangere dochter'

Ook grootouders in spe hebben – goedbedoeld – een mening over wat de beste beslissing is voor hun dochter of zoon. Niet zelden voelen deze ouders zich gevangen tussen hun respect voor de keuzevrijheid van hun tiener en hun eigen eerste intuïtie over wat er dient te gebeuren. In deze situatie staan de meningen van de ouders en de tieners soms haaks op elkaar. In een eerste opwelling hebben de toekomstige grootouders misschien wel het idee dat abortus de beste oplossing is. Marianne was bijvoorbeeld naar eigen zeggen 'wild' toen ze vernam dat haar dochter zwanger bleek. Abortus leek dan ook meteen de pasklare oplossing. *Mijn eerste reactie was: Dat moet weg. Er is geen andere keuze, dat moet hier weg, punt. Zwanger worden... nu nog niet. Doe dat maar over vijf jaar, maar niet nu. Ook toen ik het allemaal wat had laten bezinken, dacht ik er nog zo over. Ik heb dat lang gehad. Nog altijd trouwens, dus dat is niet veranderd. Ik vind nog altijd dat een tiener haar jeugd vergooit. Kinderen krijgen als tiener is geen goede zaak.* Na een poosje beseft Marianne dat het allicht beter is haar dochter te laten beslissen. Ze zegt wel dat ze achter om het even welke beslissing zal staan, maar ze voelt iets anders. Stiekem hoopt ze dat Lenthe toch zal kiezen voor abortus. *Maar uiteindelijk kom je wat bij je verstand, een klein beetje althans. Toen zei ik: 'Weet je wat, het is jouw beslissing en wat je ook doet, ik sta achter je. Je mag me later niet verwijten dat ik je verplicht heb om het te houden, maar ook niet dat ik je verplicht heb om het weg te doen. Het is volledig aan jou en wat je ook beslist, ik zal volgen.' Dat is wat een moeder moet zeggen. Toch speelde ook in mijn achterhoofd dat het beter zou zijn het weg te doen.*

Zoals bij vele zwangere tieners moet de beslissing onder tijdsdruk genomen worden omdat de zwangerschap laat ontdekt wordt. In zulke omstandigheden is het niet eenvoudig om een weloverwogen beslissing te nemen, zeker niet voor iemand van zeventien. *Veel tijd om te beslissen was er niet, want op dat moment was Lenthe al elf weken zwanger. Zo'n ingrijpende beslissing nemen in een week tijd is voor volwassenen al nauwelijks haalbaar, laat staan voor iemand van zeventien.* Dat betekent ook dat meteen na de vaststelling van de zwangerschap bij de huisarts, een echo gemaakt moet worden. Marianne gaat mee, maar heeft haar bedenkingen. Ze beseft namelijk wel dat een echo niet onschuldig is, omdat het kindje dan zichtbaar wordt en dus heel nabij komt. *Ik ben meegegaan, maar zei nog: 'Ik moet dat niet zien.' Want wat je niet ziet, dat ken je niet en wat je niet kent, dat blijft onzeker. De gynaecoloog, die wellicht niet begrepen had dat mijn dochter nog zo jong was, is wellicht geschrokken toen ik zo rechtuit reageerde. 'Zie eens, hoe groot,' zei hij heel fier, waarop ik antwoordde: 'Ik moet het niet weten, ik moet het niet zien. Ze is zeventien, wat zit je daar nu te kletsen?'* Wellicht heeft hij toen wel begrepen dat ik er niet blij mee was. Marianne verwachtte dat de echo bepalend zou worden en dat bleek ook het geval. *De beslissing is dan uiteindelijk toch vlug gevallen dat ze het kindje zou houden, wat ik ook best vond. Want ik had het nu eenmaal gezien, en dan denk je toch: Je kunt dat niet maken. Je ziet dat het leeft en je ziet al veel, hoe klein het nog is en dat het al beweegt. En dan die hartslag...*

Dat geluid hadden ze toch tenminste kunnen afzetten. Toch zou ik het niemand aanraden om niet bewust zwanger te worden. Hoewel de keuze om het te houden natuurlijk wel bewust was.

Uiteindelijk heeft Marianne zich bij de beslissing van haar dochter neergelegd en nu kan ze zich niet meer indenken hoe het leven zonder haar kleindochter zou zijn. Sarila daarentegen voelt de afwijzing van haar familie en vriend over haar keuze nog tot op de dag van vandaag. Enkel haar schoonouders zijn blij met het kindje, maar de instabiliteit van haar relatie met de vader voorspelt niet veel goeds. Hoewel zij het kindje wou houden, waren ook haar ouders vanaf het begin gekant tegen haar relatie – en dus ook tegen een kind daaruit. *Hoewel mijn familie en vriend moslim zijn, was een abortus voor hen geen probleem. Mijn vriend gelooft wel, maar niet zo streng. Iedereen probeerde me dan ook te overtuigen om abortus te ondergaan, behalve de ouders van mijn vriend: zij waren heel gelukkig. Ze hadden wel al kleinkinderen, maar niet van mijn vriend en wilden dat heel graag. Bovendien waren ze ongerust over het leven dat hij had voor hij mij kende en hoopten ze dat het zou beteren als hij getrouwd zou zijn en een kind zou hebben.* In vergelijking met de andere verhalen is deze gedachte opmerkelijk. Waar de meeste ouders immers vrezen dat een kind de toekomst van hun zoon of dochter in het gedrang zal brengen, hopen deze ouders dat hun zoon hierdoor juist een ander leven gaat leiden, meer volwassen en verantwoordelijk. Maar de zoon denkt er duidelijk anders over. Terwijl Sarila haar relatie heel serieus neemt en heel toegewijd is, twijfelt haar vriend of het kind wel van hem is. Hij zet haar dan ook aan de deur. Haar ouders zijn blij dat de relatie – althans voorlopig – afgelopen is, maar het 'probleem' van het kind is natuurlijk niet opgelost. *Een vriendin heeft mijn ouders op de hoogte gebracht van mijn zwangerschap. Ze waren blij dat het gedaan was met mijn vriend. Mijn* ouders zijn naar mijn vriendin gekomen en zeiden: 'Tot jij abortus hebt ondergaan, moet je hier in dit huis blijven, want je komt er bij ons niet in.' Ik heb toen ingestemd met abortus, waarna we de volgende dag naar een abortuscentrum zijn gegaan. Ik had immers niet veel tijd meer om te beslissen. Tijdens het eerste gesprek hebben ze een echo gedaan. Dat was mijn eerste echo en ik kon mijn tranen niet bedwingen. Ik kon die kleine toch moeilijk weggooien uit mijn buik? Ik wou dat kindje echt houden en ik was ook nog steeds verliefd op mijn vriend... Hoe kon ik dan dat kindje wegdoen? Op aandringen van haar ouders volgde een week later een afspraak om de abortus uit te voeren. Sarila kan het echter niet over haar hart krijgen. Tegenover haar ouders houdt ze vol dat ze een abortus zal laten doen, maar ze doet het niet. Ze loopt weg en hoopt steun te vinden bij haar vriend. Tevergeefs. Met de moed der wanhoop gaat Sarila terug naar huis, waarop haar ouders meteen een nieuwe afspraak voor een abortus afdwingen. Intussen wordt ze echter slachtoffer van intrafamiliaal geweld: haar vader probeert haar van de keldertrap te duwen, in de hoop op die manier een 'natuurlijke' afbreking te veroorzaken. Sarila kan zich op haar rug laten vallen en ontsnapt uit de hachelijke situatie. Maar haar moeder en broer maken haar duidelijk dat ze voor abortus zal moeten kiezen, indien ze haar vader gunstig wil stemmen. Ze stemt – schijnbaar – in. Ik eiste wel dat mijn broer zou meegaan, want mijn ouders wou ik er niet bij. Ik had al van alles gepland. Ik heb mijn broer gezegd dat hij buiten moest wachten, dat hij niet mee naar binnen kon. Aan de vrouw van het abortuscentrum heb ik uitgelegd dat ik geen abortus wou, maar dat mijn vader mij geslagen had. De dokter heeft mij toen onderzocht en blauwe plekken vastgesteld, waarop ze de politie gewaarschuwd hebben. Zo ben ik bij de crisisopvang en uiteindelijk in het CIG terechtgekomen. Een CIG (Centrum voor Integrale Gezinszorg) biedt residentiële begeleiding voor kwetsbare vrouwen en kinderen. Sarila komt terecht in een van de drie centra waar een specifieke leefgroep is voor tienermoeders. Haar zoektocht is dan echter nog niet ten einde en de relatie met haar partner zal nog voor heel wat strubbelingen zorgen. De situatie is heel extreem en blijft schrijnend.

Ook de Mongoolse Esma moet een keuze maken die ingaat tegen haar omgeving. Deze keer niet haar ouders – want die zijn reeds overleden – maar wel van de familie van haar vriend. We krijgen haar verhaal te horen bij monde van Eva, haar tijdelijke pleegmoeder. *Esma is een nomadenkind uit de Gobi-woestijn in Mongolië. Toen ze elf à twaalf jaar was, zijn haar beide ouders bij een auto-ongeluk omgekomen, waarna zij en haar broer bij een oom gewoond hebben. Maar hij was alcoholist, dus hebben ze met hun tweeën ook heel vaak op straat gewoond en voor zichzelf gezorgd. Toen heeft ze iemand leren kennen van een rijke familie en daar is ze zwanger van geworden. Die familie heeft haar voor de keuze gesteld: ofwel hou je je baby en dan zullen wij ervoor zorgen dat je hier weg kunt, ofwel laat je abortus uitvoeren. Maar zij wilden niets met haar te maken hebben. Ze heeft ervoor gekozen om haar baby te houden en via mensenhandelaars is ze in België terechtgekomen. Ze was toen net zestien geworden en was zes maanden zwanger. Ze heeft niets tastbaars over van haar leven daar, behalve twee oorbelletjes van haar mama. Achteraf is gebleken dat de vader van haar kindje vermoord is en nu willen haar 'schoonouders' het kindje toch zien. Hij was hun enige zoon en nu ze die verloren hebben, hebben ze blijkbaar plots interesse voor hun kleinkind.* Ook deze jonge vrouw heeft er heel wat voor over om haar kind een toekomst te geven en niet toe te geven aan de druk van de omgeving om abortus te ondergaan. Maar ook dit is een aspect van sommige tienerzwangerschappen, waarbij jongeren – soms helaas letterlijk – moeten opboksen tegen de overtuigingen van hun familie en omgeving. Hoe tragisch deze verhalen ook zijn, er spreekt ook heel veel kracht uit, van jonge meisjes die vastbesloten zijn de verantwoordelijkheid voor hun kinderen op zich te nemen – wat er ook gebeurt.

Een haast tegenovergestelde situatie deed zich voor bij Linda en Marcel, want hun dochter dacht spontaan en uitsluitend aan abortus om zich van de zwangerschap te ontdoen. Zij hadden echter vanaf het begin vragen bij deze keuze en wilden er alles aan doen om dit kind geboren te laten worden. Intussen hebben ze een flinke kleinzoon van acht jaar oud, wat hun relaas nog emotioneler maakt. *Stel je voor dat hij er niet geweest was... Lien wou het kind niet. 'Ik moet dat niet hebben, ik wil daar niet mee leven. Heel mijn jonge leven raakt verpest,' reageerde ze. Haar vriend dacht er ook zo over. Ze had geen binding met dat kindje. Als je niet eens weet dat je zwanger bent, kan dat natuurlijk ook niet. Dat was een indringer in haar leven en dat moest weg. Ook omdat haar relatie met de vader niet stabiel was. Ze waren nog samen, maar ze pasten eigenlijk helemaal niet bij elkaar. Die relatie heeft ook niet lang bestaan.* Linda is erbij wanneer Lien en haar toenmalige vriend een eerste echo laten maken. *Er zat werkelijk een klein wezentje in die buik dat in alle richtingen bewoog. Ik dacht: Moet dat nu doodgemaakt worden? Ik ben er nu emotioneler over dan acht jaar geleden, nu onze Lucas er is. Op dat moment kon ik daar rationeler over denken. Als dat toen weg had gemoeten...* Een abortus na een zwangerschap van vier maanden ligt echter niet voor de hand en in België is dat zelfs wettelijk uitgesloten. De enige mogelijkheid zou zijn om naar het buitenland, bijvoorbeeld naar onze noorderburen, te gaan. *Ik heb hier zelfs nog de verwijsbrief van de gynaecoloog naar een abortuskliniek in Nederland, die we gelukkig niet gebruikt hebben. Dinsdagmorgen heb ik gebeld voor een afspraak voor een abortus. Vrijdag voor 12 uur moesten we bevestigen en toen vroegen ze ook de omtrek van het hoofdje. Ik heb toen de gynaecoloog gebeld en het was 4,3 cm. Toen dacht ik opnieuw: dat kind heeft alles erop en eraan en dat moet zomaar kapotgemaakt worden. Na dat telefoontje ben ik met Greta, de moeder van Jo, gaan praten. Ook zij wilde absoluut niet dat het kind weggehaald werd. 'Dan breng je het maar hier, dan wordt dat er één van ons en dan zal ik het wel opvoeden,' zei ze. Ik vertelde haar dat ik ook niet voor abortus was.* Maar Lien en Jo zelf waren nog steeds niet overtuigd. Zou het hun jonge leven niet overhoop gooien? Zouden ze nog gewoon kunnen doen wat ze nu doen, naar de jeugdbeweging gaan, school afmaken enzovoort? *Ons Lien had geen moedergevoelens. Het enige waar zij aan dacht was haar vrijheid die in het gedrang zou komen. Waarop ik antwoordde dat dit niet het geval zou zijn. 'Jij gaat gewoon naar school en zorgt dat je je diploma krijgt.' En zelfs bij de jeugdbeweging is ze altijd gebleven, als leidster van de Chiro, dus zij heeft absoluut niks hoeven laten.* Linda vraagt zich ook openlijk af wat er gebeurd zou zijn indien zij zich meer op de achtergrond gehouden had en de beslissing aan haar dochter had overgelaten. *Ik denk dat als ze zelf had beslist, het misschien anders was gelopen. Lien kwam steun zoeken en aangezien wij haar steunden in behoud van de zwangerschap, zal dat wel de doorslag gegeven hebben.* Bovendien was er nog iemand die overtuigd moest worden: Jo, de toekomstige vader, was bijzonder onzeker over zijn vaderrol. *Ik heb ook op Jo ingepraat, die vond dat hij dat kind niets te bieden had omdat hij geen inkomen had. Maar ik zei tegen hem: 'Als je d'r bent, dat is genoeg. Dat kind vraagt geen miljoen euro, dat vraagt alleen maar dat jij daarmee bezig bent, dat je het liefde geeft.'* De tijd om de afspraak in het abortuscentrum te bevestigen komt met rasse schreden dichterbij. De avond ervoor zitten alle familieleden samen rond de tafel. De hele familie was er intussen van overtuigd dat abortus geen goed idee was, zelfs de zus van Lien die eerst erg weigerachtig tegenover het kindje stond. *Onze andere dochter was intussen ook helemaal bijgedraaid en was zelfs al babywinkels in de omgeving aan het verkennen.* Linda en Marcel waren ervan overtuigd dat Lien later spijt zou krijgen van haar beslissing en probeerden haar te overtuigen. *Aan Lien probeerden we duidelijk te maken dat ze goed moest nadenken bij wat ze op het punt stond te doen. 'Want later zul je hoogstwaarschijnlijk spijt krijgen, zeker als je een kind zult zien lopen van die leeftijd. Altijd zul je de gevolgen van die abortus meedragen.' Zeker nu ze steun had. Als je die steun niet hebt, geen financiële middelen hebt en denkt dat je leven voorbij is met dat kind, dan kan je niet anders; dat is een ander verhaal. Maar zij had alle steun die ze kon hebben, dus waarom zou ze het kind dan niet laten komen?* Maar alle nodige regelingen waren getroffen om toch de abortus te kunnen laten doorgaan. *Een vriendin had voorgesteld om te rijden, omdat zij heel goed wist dat ik daar niet toe in staat zou zijn. Ik wilde Lien daar afzetten, maar niet mee naar binnen gaan, want dat kon ik niet. Ik heb haar ook gezegd: 'Ga maar alleen, het is trouwens een kleinkind van mij dat je gaat vermoorden.' Dat was wel cru, maar dat was toch zo? Abortus lijkt de meest redelijke oplossing, maar dat is snel gezegd, totdat je het zelf moet laten doen. Je moet het volgens mij eerst meemaken.* Bovendien diende er zich ook spontaan een alternatief aan. *We kregen telefoon van wensouders die dat kind wilden adopteren. Ze wisten het via de school, omdat een leerkracht een koppel kende dat het kindje graag wilde hebben. Maar adoptie is nooit serieus in overweging genomen. Als de abortus niet doorging, dan zou dat kindje bij ons blijven en hier groot worden.* Uiteindelijk stemt Lien in met haar ouders en besluit af te zien van de abortus, tot opluchting van Marcel en Linda. *Die donderdagavond besliste ze om het kind toch te houden en toen waren we echt blij. Het was aanvaard. Jo was eigenlijk nog altijd niet overtuigd, maar die zei dat zijn mama ook geen abortus wilde.*

Uit onderzoek en uit ervaring blijkt dat de manier waarop de beslissing wordt genomen, heel sterk bepalend is voor de verwerking achteraf. Dit geldt ongeacht de uiteindelijke keuze. We zien vaker verwerkingsproblemen als een beslissing onder druk wordt genomen, of dat nu tijdsdruk is of druk door de familie of de partner. De moeilijkste beslissingsprocessen bij zwangere tieners spelen zich dan ook af wanneer de meningen van de ouders en de tiener lijnrecht tegenover elkaar staan, wanneer de ouders pleiten voor abortus en de tiener het kind wil houden – of omgekeerd. Ook zijn sommige ouders altijd al overbeschermend en nu hun dochter zwanger is, willen ze alle verantwoordelijkheid overnemen, ja zelfs de beslissing in haar plaats nemen vanuit het idee dat 'mijn kind een zwangerschap niet aankan, ik wil dat ze een abortus doet!' Ook deze houding leidt vaak tot verzet bij de jongeren, of tot wanhoop: de jongere heeft het gevoel niet zelf een beslissing te mogen nemen of heeft te weinig zelfvertrouwen om haar of zijn eigen beslissing mee te delen.

Wanneer er aan beide kanten nog voldoende openheid bestaat en er een wens is om met elkaar een dialoog aan te gaan, is het goed mogelijk om tot een compromis te komen.

In steeds meer Centra voor Leerlingenbegeleiding en Jongerenadviescentra kunnen jongeren samen met hun ouders terecht voor bemiddelingsgesprekken. De jongerenhulpverlener zal naar ieders perspectief luisteren en de jongere en zijn of haar ouders helpen beter met elkaar te communiceren. Van belang hierbij is dat ieders perspectief evenveel recht wordt gedaan. Er wordt geluisterd naar ieders noden en wensen. Als een bemiddelingsgesprek geen perspectieven biedt, kan er worden doorverwezen naar gezinstherapeutische gesprekken.

Verder toont onderzoek aan dat de meisjes niet de eigenlijke abortus of de bevalling, maar wel het ongepland zwanger zijn en alle moeilijkheden rond het maken van de keuze als *stressfull life-event* ervaren. Vandaar dat deze beslissingsfase zo cruciaal is en een goede ondersteuning vraagt, zodat de tiener tot een weloverwogen keuze komt. Zelfs al lijkt de tijdsdruk groot, toch volstaan slechts enkele dagen om via meerdere gesprekken met de tienerzwangere (en haar partner eventueel) tot een gefundeerde beslissing te komen, door inzicht te krijgen in de elementen die het beslissingsproces vormgeven. Vragen die idealiter in het gesprek dan ook aan bod zouden moeten komen, hebben betrekking op de volgende zaken.

1. De context: Een tiener die zwanger is, staat voor een beslissing binnen een bepaalde context, met bepalende factoren zoals de zwangerschap (de zwangerschapsduur), de financiële situatie, de gezondheidstoestand (fysiek en psychisch) van het meisje of andere leden van het gezin, echtscheiding ouders, moeder die zelf zwanger is, niet weten wie de vader is enzovoort. Probeer deze factoren zo nauwkeurig mogelijk in kaart te brengen.

2. Percepties van de context: Iedereen heeft een unieke voorgeschiedenis en leefwereld. Iemands specifieke achtergrond en leefsituatie bepaalt in belangrijke mate wat hij of zij als een (groot of klein) probleem ervaart. Deze context heeft ook invloed op de waarden die iemand in de beslissing zal hanteren. Aangezien zwangere tieners in hun verwarring de realiteit soms anders omschrijven dan ze werkelijk is, is het tevens van belang met hen de realiteit te helpen onderscheiden van hun interpretatie ervan.

3. Scenario: Iedereen heeft een eigen idee omtrent de gevolgen die elke keuze met zich meebrengt. Ook hier gaat het om iemands beleving. Op basis van de feiten die er zijn, en hoe iemand die

feiten beleeft, kunnen er scenario's gevormd worden in de zogenaamde actieve beslissingsbegeleiding. Samen met de tiener kunnen mogelijke scenario's doorlopen worden en kunnen er zaken
zichtbaar worden die tot dan onzichtbaar bleven. Vraag bijvoorbeeld: 'Stel je voor dat je die zwangerschap zou uitdragen. Hoe zie
jij dat? Wie zou er achter dat idee staan? Waar zou je voor steun
terechtkunnen? Wat lijkt je het moeilijkst daaraan?' Of: 'Stel dat
je voor abortus zou kiezen. Wie zou daarachter staan? Wie zou je
daarin steunen? Waar zou je terechtkunnen met je verhaal? Wat
zou je aan deze keuze het moeilijkst vinden?' Zo krijgt de tiener
greep op de feiten. Daarnaast is dit ook een mogelijkheid om alternatieven aan te reiken, waar tieners zelf meestal uitsluitend denken in termen van behoud of abortus. Ook adoptie en pleegzorg
dienen een plaats te krijgen in het gesprek. Immers, een bewuste
keuze vereist ook voldoende kennis over de verschillende keuze-
mogelijkheden. Indien het koppel niet samen beslist, mag ook de
mening van de tienervader – als hij betrokken wil worden – zeker
niet over het hoofd gezien worden.

ADOPTIE

Adoptie betekent dat je je kind afstaat en dat het voor altijd opgenomen wordt in een andere familie. In principe is er geen contact meer tussen de moeder en het kind waarvan ze afstand heeft
gedaan, ook al wordt er tegenwoordig steeds vaker gestreefd
naar vormen van 'open adoptie' waarbij contacten tussen 'ge-
boortemoeders' en kinderen verlopen via de binnenlandse adoptiedienst. Het betreft dan ook een ingrijpende, definitieve keuze
die een goede begeleiding vraagt. Natuurlijk is de drempel om
je kind definitief over te dragen aan nieuwe ouders, ook voor tienermoeders, zeer groot. Het gaat immers om een ingrijpende en

emotioneel moeilijke beslissing. Daarom krijg je als ouder na de geboorte minstens twee maanden bedenktijd. Gedurende die periode wordt je kind tijdelijk opgenomen in een speciaal daartoe geselecteerd opvanggezin of bij de kandidaat-adoptieouders, afhankelijk van de adoptiedienst. Gedurende die tijd mag de biologische moeder zelf kiezen of ze haar kind wil zien of niet. Ze wordt ook bijgestaan door een begeleidster van de adoptiedienst die haar ondersteunt bij het maken van haar definitieve, weloverwogen keuze voor adoptie, pleegzorg of – al dan niet met ondersteuning – zelf opvoeden van haar kind. Het feit dat deze alternatieven worden besproken, brengt meestal een zekere rust. Die rust is een voorwaarde voor een open gesprek over de angst, de schuldgevoelens en het verdriet die doorgaans aan bod komen bij de overweging om je kind af te staan en je eigen toekomst en die van je kind een bepaalde richting op te sturen.

De adoptieprocedure start met een notariële akte, ondertekend door de wettelijke geboorteouders en de adoptieouders. Vervolgens wordt dit dossier neergelegd bij de bevoegde jeugdrechtbank. De jeugdrechter start een onderzoek waarbij zowel de afstandsouders als de adoptieouders worden gehoord. Afhankelijk van de jeugdrechter worden ook de wettige grootouders van het adoptiekind gehoord, dus de eventuele wens van een tienermoeder om het kind af te staan zonder daarover haar ouders in te lichten kan nooit worden gegarandeerd. Tieners worden door adoptiediensten trouwens altijd gemotiveerd om hun ouders daarover in te lichten. Wanneer er na dit onderzoek een positief advies volgt, wordt de adoptie officieel. Dan pas krijgt het kind een nieuwe naam en hetzelfde juridisch statuut als de eventuele biologische eigen kinderen van de adoptieouders.

Zwart, wit en de grijze zone
van de beslissing

De tieners uit onze interviews lijken een erg uitgesproken mening te hebben en de situatie lijkt erg zwart-wit: ofwel hou je het kind en neem je je verantwoordelijkheid, ofwel onderga je een abortus. Het idee dat jouw kind ergens zou rondlopen – bij pleegouderschap of adoptieouders – schrikt af. Sommige van de geïnterviewde tienermoeders geven ook uitdrukkelijk aan waarom ze al of niet abortus overwegen. Vooral de angst voor schuldgevoelens, voor spijt van een abortus worden aangehaald als reden om niet voor abortus te kiezen. Maar ze hebben ook wel angst om hun jeugd – en de zorgeloze levensstijl en vrijblijvende engagementen die daarbij horen – te verliezen. Ook de angst om het kind niet te kunnen bieden wat het nodig heeft, baart hun zorgen. Als de tieners zich al laten beïnvloeden tijdens deze beslissingsfase – sommigen weten immers vrij snel wat ze zelf willen, ook als ze tegen de stroom in moeten varen – lijkt vooral de invloed van de ouders bepalend. Zelfs de meningen van broers en zussen hebben niet direct invloed op de beslissing. De ouders zijn dé referentiepersonen bij uitstek om te bepalen of de tienerouders op steun kunnen rekenen wanneer zij ervoor kiezen het kind te houden. De mate waarin tieners steun ervaren, heeft een doorslaggevende impact op hun beslissing. Hoewel de ouders hun eigen mening hebben, laten zij vaak de keuzevrijheid van hun dochter voorgaan. Sommige meisjes daarentegen moeten uitdrukkelijk tegen hun ouders ingaan om hun eigen keuze te kunnen maken. In extreme gevallen trekt een tiener die vanuit een sterke overtuiging en wilskracht kiest voor het kind daarmee de deur naar de ouders letterlijk en figuurlijk achter zich dicht.

De uiteindelijke beslissing van de tiener blijkt niet zo zeer gebaseerd op een rationele afweging van voor- en tegenargumenten. Vaak blijft het eerder – soms letterlijk – een buikgevoel... Opmerkelijk hierbij is vooral dat een ongeplande zwangerschap niet altijd ongewenst blijkt. Al dan niet expliciet verwoord, hebben de meisjes die wij interviewden op een bepaald moment bewust gekozen voor het kind dat op een onverwachte en ongeplande manier in hun leven opdook.

HOOFDSTUK 4

BOLLE BUIK IN EEN KORSET OF FIER VOORUIT? DE ZWANGERSCHAPS- BELEVING

In het begin zag ik vooral de mooie kanten van het moederschap. Dat kleine wezentje om voor te zorgen, om lief te hebben. De negatieve kanten zag ik niet, dus ik liep echt op een roze wolk. Tot een paar maanden na mijn bevalling heb ik echt op deze roze wolk geleefd en zag ik alleen de goede dingen. Tijdens de zwangerschap zag ik het volledig zitten. Dat zal ook wel door de hormonen zijn geweest. Bovendien verliep de zwangerschap lichamelijk heel vlot. Ik heb de droomzwangerschap van elke vrouw gehad. Ik was nooit misselijk, ik had geen enkel kwaaltje.

Eveliens beschrijving van haar zwangerschap lijkt het ideaalbeeld van elke vrouw, tiener of niet. De meeste toekomstige moeders nemen de kwaaltjes en klachten erbij, in het blijde vooruitzicht van hun spruit. Dat geldt zeker wanneer de zwangerschap positief onthaald wordt door de toekomstige ouders, grootouders, andere familieden en vrienden. In de meeste gevallen wordt de komst van een kindje immers ervaren als een wonder waarvoor

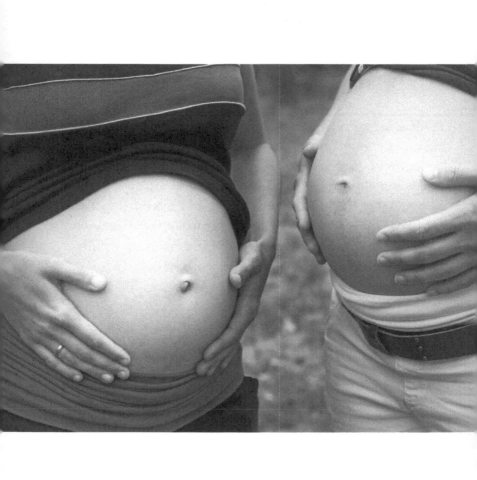

woorden tekortschieten. Soms spelen ook twijfels en angsten de partners parten: Zullen we goede ouders zijn? Zal ons kindje gezond zijn? Hoe zullen we alles kunnen bolwerken? Zullen we het financieel redden? Voor de beleving van de tienerzwangerschap maakt het natuurlijk een groot verschil als de ouders de zwangerschap aanvaarden en de tiener steunen, zoals bij Evelien. *Mijn ouders hebben me gedurende de zwangerschap wel gesteund. Ze vroegen hoe ik me voelde en als hij schopte, wilden ze hem voelen. En bij de dokter wilden ze ook het hartje weleens horen. Ook naar de eerste gynaecologische onderzoeken zijn ze mee geweest, mama en mijn vriend.*

Bij de meeste zwangere tieners dreigen beslommeringen en zorgen echter dikwijls de overhand te krijgen, ook al hebben ze op een gegeven moment allemaal bewust 'ja' gezegd tegen dit nieuwe leven. De onzekerheid over de toekomst, over hun relatie en over de gevolgen voor hun leven kunnen ervoor zorgen dat genieten van de zwangerschap er vaak niet bij is. De typische zwangerschapskwaaltjes kunnen dan ook emotioneel erg zwaar gaan wegen, wat het gevoel van onzekerheid nog vergroot. Zeker bij een jonge tiener als Pauline, die omwille van de onzekere toekomst met haar vriend twijfelde om het kind al dan niet te houden. Haar verhaal illustreert hoe lichamelijke veranderingen en emotionele kwetsbaarheid in zulke situaties hand in hand gaan. *Ik beleef mijn zwangerschap met ups en downs, letterlijk. De eerste drie maanden heb ik enorm veel kwaaltjes gehad. Ik was bijna zes kilo afgevallen. In het begin was het emotioneel heel zwaar en ging het ook heel traag vooruit, vooral door de situatie met mijn ex-vriend. Vanaf vier maanden ging het beter en toen is het lange tijd goed gegaan. Dat was ook de periode dat ik mijn nieuwe vriend leerde kennen. Op dat moment ben ik me dan ook beter gaan voelen. Tot nu, want in de laatste weken begint het opnieuw zwaar te worden. Omdat het lichamelijk zwaar is,*

wordt het emotioneel soms ook moeilijk. Ik was het tussendoor soms
beu en had spijt dat ik het kindje gehouden had. Maar meestal is dat ge-
voel de volgende dag of 's avonds weer weg. Dan ben ik er weer blij mee.
Af en toe die gemengde gevoelens, dat lijkt me normaal. Ik denk zelfs
dat vrouwen die er bewust voor gekozen hebben, dat ook weleens kun-
nen hebben. Misschien niet zoveel, maar toch. Op momenten dat ik het
moeilijk had, voelde ik mezelf te jong. Ik had me wel vroeg een kind ge-
wenst, maar zo vroeg toch niet. Ik dacht eerder aan negentien jaar, als
ik eenmaal het huis uit was. Maar de natuur heeft er anders over beslist.
Het ligt ook niet voor de hand om op zeventienjarige leeftijd te
kiezen voor een kind, terwijl je beseft dat de relatie met de vader
geen toekomst heeft. Sommige tieners vertellen hoe de beleving
van de zwangerschap verandert wanneer de toekomstige moeder het kind werkelijk voelt bewegen in haar buik. Dan ontstaat
een moederschapsband of wordt die nog versterkt. Bij Pauline
duurt het iets langer, ongetwijfeld als gevolg van haar twijfels
en vragen. Want ze is iets meer dan vier maanden zwanger wanneer ze haar zoontje voor het eerst goed voelt bewegen. Maar van
een echte band is op dat moment nog geen sprake. *De laatste twee*
maanden heb ik pas echt het gevoel dat ik een band heb met het kind.

Wat Paulines verhaal laat zien, is dat de beleving van de zwangerschap bij tieners blijkbaar afhankelijk is van de situatie en
van wat eraan voorafging, zoals de eerste reactie bij de ontdekking van de zwangerschap, de reactie van de familie en de rest
van de omgeving... Dit komt in heel wat verhalen terug. Anne
bijvoorbeeld wordt heen en weer geslingerd door vals-negatieve
zwangerschapstesten en een inschattingsfout van haar dokter
over de zwangerschapsduur. Hierdoor lijkt ze geen keuze meer
te hebben. Lichamelijk heeft ze – zeker in de beginfase – niet
veel last van kwaaltjes. Pas op het einde wordt het door ernstige

bekkeninstabiliteit haast letterlijk ondraaglijk en is ze aangewezen op een rolstoel om zich te verplaatsen. Emotioneel maakt ze echter de omgekeerde beweging door. Aangezien ze overvallen is door het nieuws en het een ongeplande zwangerschap betreft, heeft ze niet meteen het gevoel gehecht te zijn aan dat groeiende leven in haar lichaam. *Als je als koppel uitkijkt naar een kindje, is dat allicht anders, maar ik moest er vooral aan wennen.* Maar als ze het kindje voelt bewegen, kan de band langzaamaan groeien. *Je raakt wel gehecht aan je kindje voor het geboren is. Vooral op het moment dat het begon te bewegen, toen ik het begon te voelen. Grappig dat daar ook gewoontes in zitten. Hij bewoog meestal als ik ging stilzitten, en bij bepaalde dingen bewoog hij harder dan bij andere dingen. Ik wist na een tijd ook goed waar hij zat en waar hij duwde. Dat creëert natuurlijk wel een band.* Op dat moment had Anne de zwangerschap reeds volledig aanvaard. *Een ongeplande zwangerschap blijft het altijd. En natuurlijk was het in het begin ook een ongewenste zwangerschap, maar dat blijft niet zo! Eigenlijk kan dat toch bijna niet. Dat is heel raar als dat zo zou zijn. Dus ik ging ook niet klagen over wat ik voelde. Hij mocht stampen. Dat kon ik hem moeilijk kwalijk nemen!* Het feit dat haar moeder na een moeilijke periode ook haar toekomstige kleinkind in haar hart kon sluiten, heeft zeker geholpen. Bovendien had Anne de onvoorwaardelijke steun van haar beste vriendin Tess.

Bij Amy speelden niet zozeer haar eigen twijfels als wel de afwijzende reactie van haar familie een rol in haar zwangerschapsbeleving. Hoewel ook voor haar de zwangerschap als een verrassing kwam, voelde ze zich meteen verbonden met haar kindje tijdens de eerste echo. *Vanaf het eerste moment dat ik die echografie gezien had, ook al was het eigenlijk maar net een puntje dat je zag, had ik wel het gevoel van: Dat groeit nu in mij en dat is een stuk van mij. Ik voelde me daar onmiddellijk mee verbonden.* Het feit dat Amy geen kwaaltjes had, maakte voor haar de zwangerschap ook makkelijker. *Ik heb een fijne zwangerschap gehad: niet te veel kwaaltjes, niet misselijk. Wel een beetje moe en ook wel wat emotioneel, maar dat kwam door de omstandigheden.* Die omstandigheden hebben te maken met de druk die Amy ervaart om het kindje te laten aborteren, namelijk van haar vader en stiefmoeder. Terwijl het voor haar meteen duidelijk is dat ze het niet over haar hart kan krijgen om het kindje weg te doen, proberen zij haar heel uitdrukkelijk in die richting te duwen. Deze afwijzing zal haar hele zwangerschap blijven bepalen: juist omdat ze het gevoel heeft dat haar kind niet gewenst is, gaat zij het extra koesteren. *Tijdens mijn zwangerschap overheerste vooral een beschermend gevoel. Juist omdat iedereen mij wou forceren tot abortus, ben ik echt heel beschermend geweest tegenover mijn kindje.*

Voor Lien was het haast omgekeerd: waar zij in eerste instantie misschien voor abortus gekozen zou hebben, wisten Linda en Marcel haar ervan te overtuigen het kind te houden. Tijdens de zwangerschap waren haar ouders dan ook belangrijke steunpilaren voor haar, zeker toen de relatie met haar vriend stopte. *Ze had het soms heel erg zwaar. Ze maakte zich zorgen over haar kindje dat nu zonder zijn vader groot zou worden. Hoe moest het dan verder? Niemand wil mij dan nog nadien, dacht ze ook. Ik troostte haar: 'Jawel, als een jongen je graag ziet, dan neemt hij dat kind erbij. Als hij daarover valt, dan is hij het niet waard om met je samen te zijn.' Zo moest ik voortdurend op haar inpraten en met haar bezig zijn. Ik heb wel het gevoel dat ik onze dochter een beetje moest overtuigen tijdens de zwangerschap. Ze kon zich niet voorstellen wat het was om moeder te worden, moeder te zijn... Maar niemand kan dat, zelfs iemand die al jaren getrouwd is en dan zwanger is... Je weet nooit wat je krijgt. Dat is altijd een verrassing en dat blijft verrassend, heel het leven. Vanaf het moment dat ze het kindje voelde trappelen in haar buik was dat weer anders. Ik was heel betrokken bij de zwangerschap, ook al omdat ik overal met haar heen moest rijden omdat ze zelf niet kon rijden. Ons Lien wilde ook dat ik altijd meeging naar de gynaecoloog. Ik denk dat ik haar ook vooral gesteund heb door te praten en er te zijn als ze me nodig had.* Bovendien steunt Lien ook op haar ouders om haar praktische zaken te regelen, zodat haar leven in de mate van het mogelijke gewoon verder kan gaan. *Financieel is ze nooit iets te kort gekomen... Maar ik regelde ook allerlei praktische dingen voor haar. Van het begin tot het einde, van a tot z. Ook alles wat met kindergeld had te maken, al die telefoontjes die je moet plegen... Alle administratie, het moet toch allemaal in orde zijn. En het is allemaal netjes in orde gekomen.*

Als moeder beseft ook Marianne na de eerste schok hoe belangrijk haar steun is voor haar dochter en helpt haar waar mogelijk. Ze was diegene die Lenthe het meest nabij stond. Bovendien, en dat is wel bijzonder opmerkelijk en ontroerend, doet ze er alles aan om ook de rest van het gezin erbij te betrekken tijdens deze periode zodat ook zij zich verbonden voelden met dat nieuwe wezentje dat hun gezin zou uitbreiden. Het heeft wat voeten in de aarde gehad om het personeel in het ziekenhuis te overtuigen om met zes personen – Marianne, haar vriend, Lenthe en de drie jongere kinderen – de echo's bij te wonen, maar Marianne stond erop. Aangezien dit kind in haar gezin geboren zou worden, wilde ze dat iedereen daar mee naar toe zou leven. *We mochten niet met ons zessen naar binnen. Maar ik heb daar een scène gemaakt om 'u' tegen te zeggen. Ik zei: 'Kijk, mijn dochter is zeventien en dat kindje wordt straks geboren in mijn gezin, in mijn huis en het zal daar blijven.' Lars bijvoorbeeld, de broer van Lenthe, zou peter worden. Dus ik ging verder: 'Als het hier niet kan, zal het elders zijn, maar ik wil echt een echo met iedereen erbij. Punt uit.' Maar de verpleegkundige bleef* weigeren, waarop ik vroeg om de man die de eigenlijke echo zou nemen, te spreken. Dat was een grijze man en een bompa, je zag gewoon dat hij kleinkinderen had. Toen ik hem de situatie uitlegde, ging hij akkoord: 'Maar natuurlijk wel, kom!' Vanaf dat moment gingen we altijd bij hem, met ons allen. Ik denk dat het goed is geweest om hen erbij te betrekken. Zo gingen we bijvoorbeeld ook samen naar de winkel. We wisten dat het een meisje zou worden en dan gingen we samen jurkjes kopen, met discussies over wie wat mooi vond als resultaat. Dat was leuk.

Passanten en pottenkijkers

Als het buikje boller wordt, kan een tienermoeder niet langer wegstoppen dat ze een kind verwacht. Naast de emotionele en financiële uitdagingen en de praktische organisatie van het schoolleven, wordt ze vanaf dit moment geconfronteerd met een bijkomende opgave: omgaan met de omgeving die nu pas kan reageren op de zwangerschap omdat het buikje zichtbaar wordt. Want hoewel het elke aanstaande ouder overkomt dat ze vragen hebben bij hun toekomstige rol, hebben tienerouders ook nog heel wat vooroordelen tegen. Ze worden nagekeken, want hoe kan iemand op zo jonge leeftijd al in staat zijn goed voor een baby te zorgen? Voortdurend wordt er over hun schouder meegekeken, voornamelijk door toevallige passanten die meteen hun mening klaar hebben. Ook al doen ze nog zo hun best, door deze buitenstaanders hebben ze het gevoel dat het nooit goed genoeg zal zijn. Tieners zijn bijzonder gevoelig voor deze 'pottenkijkers', typisch voor de levensfase waarin ze zich bevinden: ze zijn op zoek naar hun identiteit en proberen hiervoor bevestiging te vinden bij hun vrienden, familie en omgeving. Niemand van de geïnterviewde tienerouders heeft zich in zijn of haar beslissing bewust door hun *peers* en omgeving laten beïnvloeden – wat overigens ingaat tegen het gangbare idee dat tieners vooral beïnvloedbaar zijn voor de meningen van deze groep. Hun afkeurende of vragende blikken kunnen echter littekens veroorzaken die tijdens de verdere zwangerschap voelbaar zijn – zeker wanneer ze het gevoel hebben ook van de familie de nodige bevestiging niet te krijgen. Onze interviews laten zien dat deze druk vroeger vaker meespeelde in de zwangerschapsbeleving; de huidige tieners lijken er minder last van te hebben.

Vooral voor Myriam en Eric is dit een kwetsuur die ze tot op heden meedragen. Hoewel hun kinderwens op jonge leeftijd bewust was, hebben ze niet echt een zorgeloze zwangerschap beleefd. Myriam was angstig: Zal haar kindje wel gezond zijn? Is hij niet gehandicapt? Daarnaast was ze ook bezorgd over haar jonge leeftijd. *Omdat ik zo jong was, vroeg ik me af of ik wel volgroeid zou zijn. Kan ik dat wel, kan mijn buik wel een gezond kind op de wereld zetten? De vragen en twijfels waren er wel, maar ik heb daar alleen mee geworsteld.* Natuurlijk was Eric er wel, maar waar Myriam naar verwijst, is de afwijzing en afkeuring van hun omgeving, zelfs van buitenstaanders, waarmee ze telkens opnieuw geconfronteerd wordt – wat haar angsten en twijfels, ondanks de blijdschap, nog versterkt. *Een heel pijnlijke schaamte voelde ik. Je krijgt een stempel, je wordt beoordeeld, in een vakje gestopt...* Wellicht kenmerkend voor die tijdsgeest wordt de afkeuring als het ware maatschappelijk gedragen. Althans, zo voelen Myriam en Eric het aan wanneer ze nu terugkijken op de reacties van de omgeving. Myriam herinnert zich pijnlijk hoe ze op straat nagekeken werd. *Als ik boodschappen ging doen, schoven de mensen de gordijnen opzij om te kijken. Op dat moment voelde ik zo duidelijk die blik van de mensen die me aankeken alsof ik een slet was. Je voelt gewoon de afkeuring.* Zelfs bij hun vrienden kregen ze soms dit gevoel, hoewel hier een verschil opduikt tussen de vrienden van Myriam en die van Eric. In zijn vriendenkring leek een zwangerschap op jonge leeftijd wel meer aanvaard. *Omdat er regelmatig meisjes zwanger werden op jonge leeftijd, snapten mijn vrienden dat wel. Tijdens de zwangerschap werden sommige vriendschappen echter ook beëindigd, maar dat kwam doordat we niet meer mee uit gingen. We waren nu eenmaal in een ander leven terechtgekomen.* Myriam daarentegen voelt in haar vriendenkring eenzelfde afwijzing als van de bredere omgeving. *Twee vriendinnen van mij reageerden uitdrukkelijk afwijzend. Opnieuw dat sletgevoel. Ik zeg het niet graag, maar dat was toen zo. Ouders van andere vrienden zeiden: 'Zie je nu wel dat het niet goed is met haar.'* Gelukkig was er wel één vriendin die haar niet in de steek liet. Een symbolisch gebaar van deze vriendschap is de vest die ze voor haar breide toen ze zwanger was. Myriam geeft ook toe dat het aantal vrienden inkrimpt, omdat zij nu eenmaal andere prioriteiten legt; zij was eigenlijk alleen met Eric bezig. Het gevolg was wel dat ze het gevoel hadden aan hun lot te zijn overgelaten en alles emotioneel alleen te moeten dragen. Begeleiding of hulp was er niet. Net zoals bij Amy heeft deze afwijzing een omgekeerd effect: Myriam richt zich volledig op haar kind. Gevoelig als ze is voor deze indrukken van buitenaf, sluit ze zich af van de buitenwereld. *Ik heb me afgesloten om zwanger te mogen zijn. 'Alles voor dat kind', zei ik dan. Ik heb dat echt gekoesterd en heel veel over mijn buik gewreven. Want ik mocht en kon ons kind niet publiekelijk koesteren. Fier zijn was er niet bij, in elk geval niet in het openbaar.* Als ze samen thuis zijn, kan het natuurlijk wel en dan genieten ze ook. Eric kijkt immers net zoveel als Myriam uit naar hun kindje. *Als ik thuiskwam van mijn werk, was Myriam er en dan waren we bezig met de zwangerschap of we moesten naar de gynaecoloog of zo. Ik was daar overal bij, heb alles mee beleefd. En ik keek daar ook wel naar uit, naar ons eigen kind.* Maar deze gevoelens konden ze niet delen met de buitenwereld; het bleef binnenskamers. Het verschil in beleving met volgende zwangerschappen is dan ook groot: vanaf het tweede kind kon Myriam wel haar buik laten zien. *Bij Lotte was dat een heel klein buikje, ze was ook heel klein toen ze geboren werd. Je zag dat eigenlijk niet zo goed. Maar bij Hans had ik echt een goede, grote buik en ik had de leeftijd. Toen was de goedkeuring er.*

Ook Ellen was erg gesloten tijdens haar zwangerschap, hoe zwaar het haar soms ook viel. Wat naast de emotionele en lichamelijke veranderingen vaak vergeten wordt, is onder andere hoe een tiener op dat moment plots uitgedaagd wordt door de praktische zaken van een volwassen leven. *Ik moest ineens alles leren: voor een man zorgen, koken, een wasmachine en een droogkast bedienen, geld beheren en allerlei andere dingen. Daarvoor ben je daar helemaal niet mee bezig. Je bent eigenlijk nog een schoolkind en plots moet je dat leren. Dat was allemaal te veel. Dat heeft zeker ook een rol gespeeld in de moeheid die ik voelde.* Emotioneel sluit ze zich af. *Ik wou dat zelf verwerken. Ik ben daar nogal gesloten in en wou dat echt zelf doen. Wij hebben onze problemen altijd voor onszelf gehouden. Ik weet nog dat ik heel veel weende 's nachts en dat Mario mij dan vastpakte. Hij wist ook niet wat hij moest zeggen toen ik altijd maar huilde en huilde. Ik had het vooral psychisch zwaar, maar fysiek ook omdat ik werkte. Het was beter geweest als ik eens had kunnen babbelen. Maar ik kropte het allemaal op en ik heb heel veel geschreid, dat weet ik nog. Zelfs in mijn auto als ik naar het werk reed, dan praatte ik tegen mijn buik, zo van: 'Cédric, het komt allemaal wel goed, wij slaan ons daar samen wel doorheen.'* Ik denk dat ik ook daardoor zo'n band met hem heb. Ondanks de moeilijke start met haar moeder die zich onder andere zorgen maakte over wat de mensen zouden denken, werd haar zwangerschap door haar familie aanvaard. Maar naast de praktische ondersteuning was er nauwelijks sprake van emotionele steun. *Mijn moeder zei daar ook nooit iets over, die ging wel met mij een lijst maken en zo, maar vroeg nooit eens: 'Ellen, hoe voel je je nu?' Nooit.* Wat de mensen denken – en dan vooral haar vrienden – wordt ook voor haar op een pijnlijke manier duidelijk. *Mijn vrienden vonden het eigenlijk heel erg. Ze zeiden bijvoorbeeld: 'Goh ja, die zou nog drie jaar met mij verder studeren', of ze dachten: Sukkel.* Of het hier ging om een negatieve afwijzing en veroordeling, ofwel om medelijden is niet duidelijk. Maar voor Ellen betekende het dat ze niet op steun hoefde te rekenen. Bovendien had ze ook te kampen met uitdrukkelijk negatieve reacties. Zo hadden ze bijvoorbeeld een vaste vriendengroep waarmee ze naar het café gingen elk weekend en zelfs af en toe door de week. *Maar wij wilden dat goed doen, een goede mama en papa zijn en we waren ervan overtuigd dat dat er dan niet meer bij hoorde... Eigenlijk is dat stom, want dat kan nog wel, maar toen voelde het aan alsof we dat toch maar beter niet meer konden doen.* Het resultaat was geroddel. *Ze zeiden dat we geen geld meer hadden om een pint te gaan drinken. En zo kan ik nog wel enkele andere belachelijke reacties opnoemen.* Het hoeft dan ook niet te verwonderen dat er van die vriendschappen geen enkele stand gehouden heeft. Ellen en Mario stonden er alleen voor. Ze hebben ook nooit hulp gezocht, maar geven nu aan dat ze dat toch wel gemist hebben. *Ik heb geen hulp gezocht tijdens mijn zwangerschap, maar ik zou dat nu wel doen. Ik zou iedereen aanraden om wel hulp te zoeken.* Wellicht is het nu ook wel makkelijker dan vijftien jaar geleden om hulp te vinden. Nu hebben jongeren via het internet een enorme hoeveelheid informatie ter beschikking. Dat was bij Ellen nog niet het geval. *Computer en zo, daar was in die tijd nog geen sprake van. De dokter zal wel een computer hebben gehad, maar gewone mensen zoals wij hadden dat toen nog niet. Ik kon dus ook niets opzoeken.*

Mijn gynaecoloog had wel gevraagd of ik hulp of begeleiding nodig had, maar dat heb ik afgewezen en daarna heeft hij dat nooit meer gevraagd. Ook nu nog, wanneer ze met hun kind over straat lopen, nemen deze reacties niet af. *Er zijn wel mensen die kijken, want Mario ziet er eigenlijk erg jong uit voor zijn leeftijd en onze zoon Cédric ziet er een stuk ouder uit voor zijn leeftijd. Dan krijg je reacties zoals 'Is dat uw broer?' tegen Mario. Ik herinner me nog dat ik zwanger was van ons tweede kind en dat er een andere klant aan de kassa in de supermarkt zei: 'Ocharmen, nu zitten jullie er alweer mee.' We moesten ons altijd verdedigen, verantwoorden. Er was ook die keer toen Cédric bij mijn zus met zijn hoofdje tegen de salontafel viel en wij op de spoedafdeling ontvangen werden door een verpleegster die mijn zus binnenliet en mij niet, omdat alleen de mama erbij mocht. Telkens opnieuw moest ik dan expliciet zeggen: 'Ik ben de mama', omdat je ze zag denken: Dat kan toch niet, dat jij de mama bent? Dus zulke kleine vergissingen kwamen wel meer voor.* Een gevolg is dat tienermoeders vaak nog meer hun best willen doen, om ook op dit vlak te bewijzen dat ze het moederschap echt wel aankunnen en dat ze alles onder controle hebben. *Onze Cédric moest er van mij altijd piekfijn uitzien. Ik wilde absoluut niet dat iemand zou kunnen zeggen: 'Zie, dat is een ongepland of een ongewenst kind.' Ik bracht hem geregeld naar de kapper, deed hem mooie kleertjes aan. De rest mocht blijven liggen, maar hij moest altijd in orde zijn. Nu hebben Milan en Joran weleens een chocomond… maar met Cédric kwam ik niet met een vuile mond buiten. Ik wilde mij echt bewijzen, terwijl ik het me nu allemaal niet meer aantrek wat ze ervan denken. Maar toen ik zo jong was, had ik dat wel. Veertien jaar geleden had ik ook het gevoel dat jong mama zijn minder aanvaard werd. Nu is er meer persaandacht voor: het komt op tv en in 'de boekskes'. Ik denk dat zij nu ook meer geholpen worden.* Ellen stond er echter alleen voor.

Myriam en Eric kregen meer dan dertig jaar geleden hun zoon op jonge leeftijd, Ellen en Mario bijna vijftien jaar geleden. Ondanks dat tijdsverschil vertonen hun verhalen opvallende gelijkenissen. Beide koppels voelen de afwijzing van de omgeving heel sterk en wijzen op een emotionele nood die onvervuld bleef. Geen van hen wist waar ze terechtkonden met hun vragen, twijfels en angsten. De maatschappelijke ondersteuning van tienerzwangerschappen was ook veel minder uitgebouwd en gestructureerd. Daarnaast hebben ze er ook wel enigszins bewust voor gekozen zich wat af te sluiten en alles alleen proberen te verwerken, mogelijk onder invloed van het idee of de angst dat, als ze er met iemand over zouden praten, ze toch afgewezen zouden worden. Hopelijk biedt de huidige maatschappelijke context meer ruimte om het taboe te doorbreken en tienerzwangerschap in zijn verscheidene aspecten bespreekbaar te maken. Toch geven ook tieners van nu aan dat ze aangekeken worden op straat, maar ze lijken zich er minder om te bekommeren. Marie en Carlo hebben inmiddels twee kinderen, maar worden nog steeds op straat nagestaard. Blijkbaar kun je zien dat ze nog jong zijn, hoewel ze intussen toch twintigers zijn. Marie maakt er zich niet druk om. *Af en toe vraag ik weleens wat er is en dan draaien ze hun hoofd om. Storen doet het me niet.* Anne heeft het bijkomende probleem dat ze altijd jonger geschat wordt dan ze is. Hoewel ze meerderjarig was toen ze met haar bolle buik over straat liep, werd ze maar vijftien geschat. Dat heeft de reacties van buitenstaanders waarschijnlijk wel verergerd. *Vooral als ik in de bus zat, op weg naar school... Heel die bus keek voortdurend naar mij. Ik heb ook een paar onvriendelijke reacties gehad van mensen. Er was zo één vrouw die mij passeerde en vroeg: 'Schaam jij je niet?' En ook eens een nonnetje dat zei: 'Oh, je bent zwanger, maar je bent toch nog jong?' Maar ik draag altijd een ring die ik van mijn moeder gekregen heb en toen ze dat zag, ging ze verder: 'Ah, maar je bent getrouwd zie ik, dan is het goed.' Ik lachte daar gewoon eens om. Wakker heb ik er niet van gelegen.*

Wel werd ze moedeloos van de reacties die ze kreeg na de geboorte van haar kind, zeker wanneer ze hen dingen ziet doen die volgens haar niet door de beugel kunnen. Maar ze kan niet reageren. *Waar ik mij soms een beetje machteloos bij voelde, was in contact met andere – oudere – moeders. Zij behandelden mij alsof ik niet wist wat ik deed. Terwijl ik goed voorbereid was en wist dat wat ik deed, goed was. Bij mij vlotte de borstvoeding niet, maar ik ging er wel voor. Ook mijn vroedvrouw zei me dat ze nog nooit iemand zo vastberaden had gezien om borstvoeding te geven. Voor mij was dat zo logisch. Dat is toch het beste voor Bas? Dat leek me zo normaal. Bas heeft een maand lang flesvoeding gehad op een moment dat mijn melkproductie wegbleef omdat ik zo zwaar onder stress stond. Ik had geen melk. Normaal is het dan gewoon afgelopen als je met flesvoeding begint, maar ik bleef elk halfuur afkolven. En bij elke keer dat hij een voeding nodig had, heb ik hem aangelegd, ondanks het feit dat hij maar een paar druppels kon drinken. En na een hele dag afkolven had ik 20 ml melk. Dat is amper iets! Maar ik bleef volhouden en dat werd steeds een beetje meer. Na een maand had ik het weer op gang. Ik heb echt doorgebeten en dan kijken anderen soms toch op je neer alsof je een snotneus bent... erg vond ik dat. Zeker als zij dan een fles pakten en daar poeder in deden, dan dacht ik: Verdorie, stom wijf!* Het maakte haar niet zozeer onzeker, maar wel kwaad. *Ik wilde zulke blikken en reacties aan mij laten voorbijgaan, maar zat er wel mee. Soms wilde ik hen een mep in het gezicht geven, zo kwaad werd ik daarvan. En als ik dan mama's zag roken boven hun buggy... dat kon ik echt niet begrijpen. Ik dacht altijd – maar ik zat wel een beetje in een droomwereldje – dat als mensen kinderen krijgen, dat ze dan alles voor hun kinderen doen, echt alles! Maar dat bleek helemaal niet waar te zijn. Zelfs stoppen met roken is een te grote moeite.*

Roos had de reacties van de omgeving dan weer erger ingeschat dan ze uiteindelijk bleken. Ze ging ervan uit dat vrienden haar zouden laten vallen, maar dat is helemaal niet gebeurd. *Ik ben gewoon met dezelfde mensen blijven praten en in sommige gevallen zijn de banden misschien zelfs verbeterd door de situatie.* Ook Hannelore vertelt hoe haar zus zich niets aantrekt van de reacties die ze krijgt. *Mijn zus tilt er niet echt aan dat ze nagekeken wordt. 'Ik heb er zelf voor gekozen, dus ik neem het erbij', is haar uitgangspunt.* Wellicht speelt het feit dat de reacties op school neutraal tot positief zijn – toch de plaats waar tieners het meest in contact komen met leeftijdsgenoten – een belangrijke rol in deze perceptie. De zus van Hannelore heeft er in elk geval niet veel last van. *Er zijn niet veel reacties op gekomen, ook niet van de leerkrachten. Zowel haar als mijn klasgenoten waren wel geschrokken, maar ze hadden er niet echt een uitgesproken mening over. In deze tijd komt tienerzwangerschap nogal eens voor, dus ik denk dat mensen daar in het algemeen meer open voor staan.* Ook Pauline deelt deze ervaring. Meer zelfs: een leerkracht probeert haar klasgenoten echt te betrekken bij de zwangerschap. Volgens Pauline is er een eenvoudige verklaring voor deze openheid van haar leeftijdgenoten, namelijk de aard van haar studierichting. *Mijn klas reageerde eigenlijk redelijk positief op het nieuws van mijn zwangerschap. In het deeltijdse onderwijs, richting kinder- en bejaardenzorg, hou je van kinderen; anders doe je die richting niet. Ik ben trouwens de enige minderjarige in mijn klas en vier klasgenoten hebben al een kind. Ik ben ook zeker niet de enige zwangere op school; er zijn verschillende zwangere meisjes. Misschien klinkt dit een beetje grof, maar volgens mij zie je in deeltijds onderwijs zulke dingen wel vaker. Daar heerst ook een heel ander soort mentaliteit*

dan in het gewone, voltijdse onderwijs. Ik hoef ook niet echt meer te studeren, ik werk al. Ik vermoed dat ze je in voltijds onderwijs vreemd zullen aankijken, want je moet nog verder studeren en hoe ga je dat doen
in combinatie met een kind? Ik kan echter makkelijker zelfstandig zijn
door een inkomen uit mijn werk. Misschien bekijken ze je daarom minder vreemd, omdat ik wel de financiële mogelijkheid heb om dat kindje
op te voeden. Jongeren in voltijds onderwijs moeten nog meer op hun ouders steunen. Ik denk dat dit een groot verschil is. Verder is er op school
nooit iets negatiefs gezegd. Ook leerkrachten reageerden niet speciaal.
Ik had het er wel over met mijn leerkracht praktijkzorg die mijn zwangerschap in haar lessen betrok. Zo las ze wekelijks voor over de ontwikkeling van mijn kindje, hoe het groeide enzovoort. De klas vond het leuk
om op die manier die evolutie te kunnen volgen. De sociale druk lijkt
dus toch wat verminderd, of de tieners staan misschien sterker
in hun schoenen doordat ze weten dat ze niet alleen zijn of een
uitzondering vormen, maar ook de nodige steun hebben om hun
jonge leven met een baby vorm te geven.

Wat betreft Myriam en Eric en Ellen en Mario is het tenslotte
opvallend hoe beide koppels bewust contact gezocht hebben met
het cRZ, met de uitdrukkelijke bedoeling hun verhaal te kunnen
doen en op die manier hun stilzwijgen te doorbreken. Zij willen
zo een hulp zijn voor andere zwangere tieners. Zoals Ellen zegt:
*Je hebt vroeger zoveel negatieve reacties gehad en iedereen dacht: Dat
gaat sowieso slecht aflopen. Alle leerkrachten dachten: Met die Ellen,
dat komt nooit goed. Ik begrijp ergens wel dat ze dat dachten. Maar ik
wou er toch mee naar buiten komen, het aan iemand vertellen.* Bij Myriam en Eric speelt ook mee dat ze tegenwicht willen bieden tegen de huidige perceptie rond tienerzwangerschap. Zij ervaren
vooral boosheid en ontgoocheling wanneer ze programma's over
tienermoeders op tv zien. *Dat is amusement voor de kijkers, maar*

niet voor die mensen. *Want de manier waarop ze hen in beeld brengen, is schrijnend. Ze zetten die echt in hun hemd. Misschien dat die tieners het op dat moment wel plezierig vinden, maar achteraf kan dat toch niet goed zijn.* Ook de andere tienermoeders stellen zich vragen bij dit soort programma's, omdat ze vinden dat tienermoeders heel negatief voorgesteld worden. Pauline merkt op: *Het lijkt nu alsof geen enkele tienermoeder voor haar eigen kind kan zorgen. En dat is niet zo. Er zijn er meer die het goed dan slecht doen. Maar het beeld wordt door de media verkeerd gevormd. Het is niet omdat je zeventien bent dat je het niet aan zou kunnen. Er zijn mensen van zeventien die perfect een kind kunnen opvoeden, die daartoe in staat zijn. Door dat beeld kijken ze je echter veel meer aan op straat.* Ook Anne vindt dat zulke programma's maar één kant laten zien. *Ik vind dat tienermoeders heel eenzijdig belicht worden in de media. Dit geeft een heel negatief beeld van alle tienermoeders. De meisjes die in de media komen, zijn ook nog zo jong en beseffen niet helemaal waar het programma over gaat en hoe ze daarin afgeschilderd worden. Dat is jammer. Of het niet representatief is dan? Misschien is het wel zo dat er meer laaggeschoolde meisjes vroeg zwanger worden. Dat lijkt me wel geloofwaardig. Maar de makers kunnen toch een beetje creatief zijn: je kan die mama's hier toch ook in begeleiden. Ik begrijp niet dat ze deze meisjes soms zo in beeld brengen. Ik zou hen ook niet zomaar alles laten zeggen op tv. Ze zijn echt nog jong. Je moet ze dan ook een beetje beschermen en dat ze zo negatief belicht worden, vind ik erg. Ik denk dat het bewust zo gedaan wordt.* Myriam en Eric vragen zich niet alleen af wat de impact van deze programma's voor de tieners is, maar worden ook geconfonteerd met hun eigen verhaal. Is er dan nog niets veranderd? Blijft het imago van tienerouders zo negatief? Is zulke beeldvorming werkelijk nodig? *Het doet ons pijn, zulke programma's. We weten dat ze er zijn, maar we kunnen er niet naar kijken.* Eric zegt er zelfs echt boos van te worden. *De stempel die je krijgt of al hebt, wordt hierdoor nog sterker op je gedrukt. Op mijn werk wordt er dan over gepraat, over wat er uitgezonden is en het zijn natuurlijk de extreme dingen die ze eruit pikken. En dan denk ik: Kijk eens waar ik nu sta! Hoe wij dat gedaan hebben met de kinderen, hoe we omgaan met onze kinderen en hoe we met onze omgeving omgegaan zijn. Maar dat wordt niet benoemd. Enkel de uitersten worden uitvergroot.* Daarom willen ze heel graag meewerken aan initiatieven die de beeldvorming enigszins nuanceren, ondersteunend in plaats van veroordelend willen zijn en de passanten en pottenkijkers een blik achter de schermen van tienerouderschap geven.

Bijkomende ondersteuning nodig?

Ik besefte wel dat ik nog nooit met kinderen was omgegaan. Ik wou het goed doen en heb me dan ook grondig voorbereid. Ik heb boeken verslonden over opvoeding, ik heb vragen gesteld aan mensen en aan Kind en Gezin, ik ben naar infoavonden geweest over borstvoeding, over opvoeding, over weet ik veel wat nog allemaal. Ik was daar echt in geïnteresseerd. Ik heb dat in die mate gedaan dat ik op een bepaald moment al wist wat er ging komen als ik een boek aan het lezen was, zo'n inzicht had ik erin. En toen was ik tevreden over mezelf. Oké, dacht ik, dat is goed. Het was een geruststellend gevoel. Ik dacht toen ik zwanger was dat het heel normaal was dat ik dat deed, dat iedereen dat deed. Als je een kindje krijgt, dan staat ineens de wereld op zijn kop – want dat moet goed gebeuren. Maar blijkbaar was ik een uitzondering omdat ik zo veel opzocht. Heel veel ouders denken kennelijk dat ze dat wel vanzelf goed zullen doen. Maar ik wou dat echt goed doen! Ik wou me daar echt voor inzetten.

Aangezien de komst van nieuw leven alles op zijn kop zet, kan je er maar beter grondig over nadenken en mee bezig zijn, dacht

Anne. Zwanger blijk je plots te zijn. Je hebt misschien wel een vermoeden, maar het ene moment is het nog een vaag idee en het andere moment wordt het bijzonder reëel. Gelukkig duurt een zwangerschap negen maanden, zodat partners en omgeving enkele maanden de tijd hebben om zich emotioneel en praktisch voor te bereiden op de komst van een baby. Misschien zijn tienerouders extra gemotiveerd om zich voor te bereiden en zich op die manier te bewijzen als toekomstige moeder. Gezien de maatschappelijke perceptie en vooroordelen rond tienerouderschap kunnen tieners het gevoel hebben dat ze zich maar beter kunnen wapenen tegen mogelijke reacties door zich grondig te verdiepen in het krijgen van een baby. Dat zal hun immers vertrouwen geven, niet alleen ten aanzien van zichzelf, maar ook ten aanzien van buitenstaanders, waardoor ze sterker in hun schoenen staan.

Niet alle tienerouders zijn zo goed voorbereid als Anne, omdat zij vaak pas laat en onverwacht hun zwangerschap ontdekken en verward zijn. Bovendien komt er ook een stukje organisatie bij kijken en zit er een financieel plaatje aan vast. Naast alle lichamelijke en emotionele veranderingen komen er bij een zwangerschap en geboorte immers flink wat praktische en administratieve zaken kijken, zoals het aanvragen van kraamgeld en kinderbijslag, een hospitalisatieverzekering, de babyuitzet, bepalen waar je wilt bevallen, wat je in je koffer voor het ziekenhuis stopt enzovoort. Vaak moeten tieners en hun ouders of begeleiders een weg zoeken in dit administratief labyrint, gezien hun specifieke situatie. Myriam en Eric, en ook Ellen vertellen hoe zij het gevoel hadden er alleen voor te staan, niet wetend waar ze terechtkonden met hun verhaal en met hun vragen. Vandaag de dag is de specifieke hulpverlening voor zwangere tieners en hun omgeving echter meer uitgebouwd. Bovendien is tienerzwangerschap steeds vaker een thema bij 'niet-gespecialiseerde' hulpverleners zoals gynaecologen, vroedvrouwen, maar vooral ook bij hulpverleners in de Centra voor Algemeen Welzijnswerk, Kind en Gezin, scholen en Centra voor Leerlingenbegeleiding.

Roos zocht sociale en professionele steun om deze voorbereiding te structuren, en vond die ook. Allereerst zijn er natuurlijk de praktische zaken die je nodig hebt, waar de naaste omgeving kan bij helpen. *Ik heb alles in huis gehaald wat ik nodig had. Van een vriendin van mijn mama heb ik een nieuwe box gekregen: ik mocht zelf gaan kiezen met haar, met de bekleding en alles. En omdat mijn broer peter zou worden, heb ik van hem een Maxi-Cosi gekregen. Ook van mijn oma heb ik veel gekregen omdat ze wist dat ze niet meer heel lang zou leven. En omdat ons mama en wij van haar kinderen en kleinkinderen het meest op bezoek kwamen, hadden we een streepje voor.* Maar minstens even belangrijk voor haar was de emotionele voorbereiding. Hiervoor kon ze terugvallen op professionele begeleiding bij Parel (Perinataal Aanbod Regio Leuven), een organisatie die ondersteuning biedt aan kwetsbare zwangeren onder wie tienerzwangeren. Hier vond ze tijdens de hele zwangerschap emotionele steun om met haar specifieke situatie en haar moeilijke relatie om te gaan. *Voor mij was Parel een plek waar ik terecht kon. De gesprekken over hoe ik me voelde, over hoe zij konden helpen enzovoort, hebben me echt goed geholpen. Dat gebeurde elke keer als ik op medische controle moest bij de gynaecoloog. Het feit dat het altijd om dezelfde persoon gaat met wie je kunt praten en die er voor je is, is belangrijk. Zij zijn dan op de hoogte van wat er wel en niet goed gaat, bijvoorbeeld met de papa van het kindje.* Maar ze kreeg er ook concrete, praktische tips over de bevalling en de opvoeding. *Ik kreeg veel informatie en werd voorbereid op de bevalling: waar ik naartoe moest, hoe de kamer eruit zou zien, hoe je de pijn kon opvangen, welke voeding je het kindje* kon geven enzovoort. *Ik had dan ook het gevoel voldoende voorbereid te zijn op de bevalling.* Met de mentale rust die dat uiteindelijk creëerde, kon ze uitkijken naar de geboorte van haar zoontje.

De geïnterviewde tieners geven echter niet altijd aan hier veel nood aan te hebben. Misschien komt dat doordat ze liever niet de confrontatie aangaan, zoals Pauline. *Naast de gewone behandeling bij de gynaecoloog, heb ik niet echt steun gezocht bij hulpverleners en dergelijke omdat ik dat eigenlijk niet wou. Ik wilde er niet te veel mee geconfronteerd worden. Ik heb vooral steun gezocht en gevonden bij mijn ouders en nu bij mijn nieuwe vriend.* Mijn moeder wilde wel graag een begeleid gezinsgesprek met iemand die gespecialiseerd was in tienerzwangerschap, maar die hebben we toen niet gevonden.* In het 'normale' zorgtraject van de zwangerschap (via gynaecologen, vroedvrouwen en artsen) hebben de tienermoeders niet het gevoel anders behandeld te worden dan andere zwangere vrouwen. Zoals Marie het omschrijft: *Ik had niet het gevoel anders benaderd te worden door mijn gynaecoloog. Hij bekeek me gewoon zoals om het even welke andere zwangere vrouw. Andere hulpverleners overigens ook. Ze zijn ook altijd druk bezig, gynaecologen, dus voor ondersteuning of bemoediging was geen tijd. Ik had geen speciale ondersteuning, maar heb ook nooit die nood gevoeld.*

Ook de geïnterviewde verwanten en andere betrokkenen zochten niet onmiddellijk ondersteuning of hulp, buiten de eigen directe omgeving. Hannelore had er bijvoorbeeld geen behoefte aan om met anderen over haar zwangere jongere zus te praten. *Ik had geen andere mensen nodig; ik had mijn mama. Ook zij was in eerste instantie geschrokken, maar is, net zoals ik, bijgedraaid. Als het er is, is het er. We kunnen de klok niet terugdraaien, dus zullen we het wel moeten aanvaarden. Als ik vragen had, kon ik bij mijn mama terecht. Ik studeerde verpleging en daarvoor verzorging. Dus over het verloop* van een zwangerschap wist ik wel al het een en ander. Dat kleine beetje achtergrondinformatie doet wel iets. Ook Linda had geen extra ondersteuning nodig bij de zwangerschap van haar dochter. Ik heb bijvoorbeeld geen contact gehad met ouders die hetzelfde doormaken. Maar ik heb dat ook niet speciaal gemist. Ik heb veel gehad aan mijn vriendinnen. We hebben eigenlijk een heel sterk sociaal vangnet en meer heb je niet nodig. Meer heb je inderdaad niet nodig, maar dat is al heel veel. Blijkbaar zochten de meeste geïnterviewde tieners en hun omgeving niet actief naar extra ondersteuning. Niet iedereen heeft echter het geluk om zo goed sociaal omringd te zijn. Sociaal geïsoleerde jongeren blijven daarom een kwetsbare doelgroep. Een belangrijk verschil met enkele decennia geleden is wellicht dat er nu wel hulp voorhanden is. Zelf hulp vragen doen tieners echter niet gemakkelijk omdat ze zich het liefst van hun meest competente kant laten zien. Dat heeft opnieuw te maken met het beeld in onze samenleving dat tienerouders minder goede ouders zouden zijn. Vertrouwen hebben in hun kunnen en hun (ouder)vaardigheden stimuleren, zijn dan ook van cruciaal belang.

Een zwangerschap zoals elke andere?

Zwangere tieners blijven niet gespaard voor de lichamelijke kwaaltjes en klachten die ook andere zwangere vrouwen hebben. Hun leeftijd en afhankelijkheid maakt het hen soms echter moeilijk om hiermee om te gaan. Terwijl andere zwangere vrouwen deze kwaaltjes kunnen relativeren uit dankbaarheid voor het geluk dat hun te wachten staat, versterken deze lichamelijke ongemakken soms de angsten, twijfels en vragen van tieners. Bovendien blijkt uit de verhalen dat zwangere tieners ook te kampen hebben met specifieke problemen en vragen. Aangezien zij vaak nog thuis wonen, blijkt bijvoorbeeld de steun van (een van) de ouders haast onontbeerlijk. Indien zij niet op deze steun kunnen rekenen of deze als louter praktisch ervaren, ervaren zij een gemis aan erkenning of emotionele ondersteuning – wat de beleving van de zwangerschap verzwaart. Daarnaast dienen zij op te boksen tegen allerlei vooroordelen van de omgeving, maar ook van de media. Maar de geïnterviewde tienermoeders lijken nu beter met deze sociale druk om te kunnen gaan dan enkele decennia geleden, omdat de druk toch enigszins verminderd is en opgevangen wordt door een sociaal vangnet elders. Omwille van al deze aspecten is de zwangerschap geen gemakkelijke periode voor tieners. Toch zijn er weinig tieners die uit zichzelf een beroep doen op hulp en begeleiding van buitenaf. Ze lijken het liever alleen –met de sociale steun die ze hebben – op te lossen, althans zo komt het uit deze interviews naar voren. Enkel als ze een duwtje in de rug krijgen en de hulp hun uitdrukkelijk aangereikt wordt, blijken ze wel geneigd hierop in te gaan. Bijgevolg is dergelijke hulp geen overbodige luxe, voor tieners die hier wel erg mee geholpen zijn in de voorbereiding op de komst van hun kind.

HOOFDSTUK 5

DE GEBOORTE: EEN EXTRA SCHOENTJE AAN DE WASLIJN

Ik heb het gevoel wel voorbereid te zijn op de geboorte, ben naar info-avonden geweest en heb heel veel op internet gelezen. Ik weet wel hoe alles verloopt, heb dat ook zelf geleerd op school. Mijn gynaecoloog heeft beslist dat ze de bevalling zullen inleiden binnen twee weken. Er is een complicatie: de nierkelk is opgezwollen. In principe kan dat geen kwaad, maar ook omdat het kind aan de grote kant is, namelijk 3300 gram en 49 cm, en ik klein ben, is het beter om niet langer te wachten tot er nog meer druk op die nierkelk komt te staan. De avond tevoren gaan ze proberen het kindje te laten indalen en de volgende ochtend breken mijn vliezen en krijg ik hormonen. Mijn vriend zal bij de bevalling zijn. Mijn moeder wil ik er ook bij omdat ik nog zo jong ben, maar alleen in het begin. De effectieve bevalling, dus de geboorte zelf, is alleen met hem. In het begin wou ik dat mijn moeder ook bij de geboorte was, maar nu we al wat langer samen zijn, heb ik het gevoel van: Het is alleen voor ons. Mijn moeder zegt ook dat als ik even alleen met ons tweeën wil zijn, dat zij dan naar buiten zal gaan. Het feit dat zij me al zoveel jaren kent, geeft me een vertrouwd gevoel. Mijn vriend ook wel, maar je moeder – dat is toch anders. Omdat ik ook nog jong ben en niet zo stevig in mijn schoenen sta, vind ik het toch belangrijk dat mijn moeder er ook bij is.

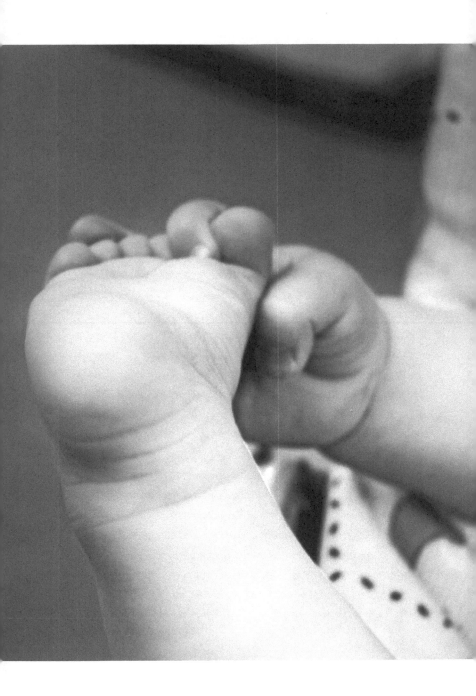

Als het ongeboren kind eenmaal in de harten van de ouders gesloten is, vinden ze doorgaans tijd om zich ook emotioneel voor te bereiden op de bevalling, het moment waarop ze het kindje ook in de armen zullen sluiten. De meeste ouders gebruiken die periode om informatie te verzamelen, misschien een prenatale cursus te volgen, met mensen te praten... Ook hierin verschillen tienermoeders vaak niet van andere ouders. Pauline heeft het gevoel goed voorbereid te zijn, omdat ze op de hoogte is van hoe een bevalling concreet verloopt. Twee weken voor haar bevalling, op het moment van het interview, heeft ze heel uitgesproken ideeën over hoe ze de geboorte wil beleven. Ze weet ook heel goed wie ze erbij wil: haar nieuwe vriend en haar moeder. Samen met hen wil ze het nieuwe leven omarmen.

De geboorte is wellicht de meest intense gebeurtenis die ouders kunnen meemaken. Het is niet alleen een ingrijpende gebeurtenis, maar ook een heel betekenisvolle. Waar het bij volwassenen haast volstrekt duidelijk is dat dit intieme moment enkel gedeeld wordt met de partner, krijgt dit voor tieners vaak een heel andere invulling en willen ze ook andere gezinsleden in de buurt hebben. Pauline ziet het al helemaal voor zich.

Doorgaans blijft de steun van de partner cruciaal, bij tienermoeders is dat niet anders. De bevalling van Ellen was vrij onverwacht, omdat ze vijf weken te vroeg beviel. Hun leventje ging op dat moment zijn gewone gang en hun verhaal klinkt alsof het om een gewone, volwassen relatie gaat. *Mario was bij de bevalling, maar mijn vader moest hem van de voetbaltraining halen. Hij was net in de auto gestapt toen mijn vliezen braken. Ik was toen zeven maanden en drie weken ver. Ik liep nog naar het raam, maar hij heeft me net niet meer gezien en een gsm hadden we nog niet. Toen zijn mijn ouders met mij naar het ziekenhuis gereden en is mijn vader hem gaan halen op de training.* Toch lijkt het voor Ellen alsof hij toen nog erg jong was. *Dus hij kwam nat gedoucht in zijn voetbalkleren aan in het ziekenhuis, zo piepjong als ik daar nu aan terugdenk. De bevalling is goed verlopen, zonder verdoving en heeft vijf uur geduurd. Het was wel vijf weken te vroeg en dat maakte me bang. Er waren ook nog andere mensen bij om ons kindje direct op te vangen, mocht het echt een te laag gewicht hebben of zo. Maar Cédric huilde onmiddellijk toen hij geboren was en bleek heel gezond. Hij woog 3 kilo. Dus mocht hij mee naar de kamer.*

Jammer genoeg kan niet elk tienermeisje op steun van de toekomstige papa rekenen, zoals Sarila. Gezien hun turbulente relatie hoeft het gebrek aan betrokkenheid niet te verwonderen. Dat maakt het echter niet minder pijnlijk, zeker omdat Sarila hoopte dat hun relatie en zijn visie op hun kindje zou veranderen na de geboorte. *Ik wilde niet alleen naar het ziekenhuis gaan en had mijn schoonzus gevraagd of ze wou meekomen, maar zij vond dat ik met mijn vriend moest gaan. Ze wou er op die manier voor zorgen dat het goed zou komen tussen ons. Mijn arbeid liet op zich wachten; de baby wou maar niet komen. Ik ben na lange tijd in slaap gevallen, maar dat was de slaap van de dood: ik en mijn baby waren bijna dood. Zijn hartje was gestopt met kloppen waarop ze me snel naar de operatiekamer hebben gebracht voor een spoedkeizersnede. Ik werd wakker en begon te huilen, omdat ik dacht dat ik mijn kindje zou verliezen. Mijn vriend zat nog steeds in de stoel en vroeg zich af wat er gebeurde, maar nadien sms'te hij gewoon verder. Hij was er niet voor mij. Toen ik mijn zoontje zag, besefte ik dat ik bij hem weg moest. Ik ben ook zonder vader opgegroeid en ik vond dat niet erg.* Haar vriend regelde nog wel enkele praktische zaken, maar toonde amper interesse tijdens de zwangerschap en geboorte. Hij was niet met het kindje bezig en hij toonde ook weinig betrokkenheid tegenover Sarila. *Toen ik* op mijn kamer was, is hij wel de suikerbonen gaan halen. Hij wist echter niet waar hij daarvoor moest zijn, want ik had dat allemaal alleen voorbereid. Hij is nog een paar uur in het ziekenhuis gebleven, maar daarna was hij weg en heb ik hem drie dagen niet gezien. Ik heb heel zijn familie zelf moeten bellen om te zeggen dat onze zoon geboren was. Deze moeilijke situatie belet Sarila echter niet om te genieten van haar kindje. Een kind krijgen is heel anders dan wanneer het in je buik zit. Dan ben je ook blij dat je mama gaat worden, maar na een tijdje lijk je dat niet meer helemaal te beseffen. Toen ik Faris in mijn armen hield, was ik doodgelukkig.

Ook Roos' partner is niet aanwezig bij de geboorte, maar daar koos zij bewust voor. Mijn mama was bij de bevalling. De bevalling zelf verliep eigenlijk beter dan verwacht. Om vier uur 's morgens had ik buikpijn, maar ik wist in het begin niet wat dat was. Ik dacht dat ik gewoon ziek was, buikgriep of zo. 's Morgens heeft mama naar het ziekenhuis gebeld, omdat het niet over ging. Daar zeiden ze dat ik een bad moest nemen om te zien of de pijn verdween. Rond elf uur zijn we naar het ziekenhuis gereden en om zes uur is mijn zoontje Bjorn geboren. Ik mocht hem meteen vasthouden, omdat ze ervan overtuigd zijn dat het beter is om je kindje meteen bij jou te leggen en het pas na een uur of zo te verzorgen en te wassen. Ik denk wel dat ik meteen een band had. De papa was niet bij de bevalling, omdat ik dat niet wou. Het ging toen ook al niet meer zo goed. Hij had me op voorhand gezegd dat de hele familie erbij zou zijn als ik bevallen was. Ik heb dan ook nog getwijfeld of ik hem het nieuws wel zou vertellen. Toch mocht hij 's avonds op bezoek komen. Zijn ouders waren er ook bij, wat ik heel vervelend vond. Bij het eerste bezoek waren alleen zijn ouders er, de volgende dag was zowat de helft van de familie meegekomen: zijn zus, zijn oma... Ik kon daar niets van zeggen omdat ook mijn familie op bezoek was, dus zij bleven maar zitten.

Een gemis aan een ondersteunende partnerrelatie is een van de hinderpalen waar Myriam en Eric niet op gebotst zijn. Wat hun verhaal wel laat zien, is dat een koppel er zelfs samen toch alleen voor kan staan, zeker als de (professionele) omgeving met onbegrip en veroordeling reageert. De vele negatieve reacties die ze tijdens de zwangerschap moesten incasseren, speelden hen zelfs tijdens de geboorte parten: enkele personeelsleden in het ziekenhuis lieten duidelijk hun mening blijken toen ze Myriam tijdens de bevalling ontmoetten. Bovendien wisten ze niet goed wat hun te wachten stond. *Ik was net zeventien toen ik beviel. Ik was helemaal niet voorbereid; ik wist alleen dat het pijn zou doen. Maar we konden er niet over spreken; we stonden er echt alleen voor.* Eric gaat verder. *De weeën waren begonnen in de vroege ochtend, rond drie uur 's nachts. Vic is pas rond middernacht geboren. Dus we zijn daar de hele dag geweest en alles werd tegengehouden. Toen de vroedvrouw van de nachtploeg kwam en Myriam zag, begreep ze dat ze al veel te moe was. Zij heeft haar vliezen gebroken zodat alles vlugger zou gaan, en toen is het ook vlug gegaan. Maar verder was er die dag niemand die ons serieus nam, die het opnam voor Myriam.* Integendeel zelfs. De reacties die Myriam krijgt, komen bijzonder hard aan. Zo was er bijvoorbeeld *een nonnetje. Ik voelde dat ik moest krijsen en roepen, ik moest die pijn kunnen uiten. Maar dat mocht niet. Want op een gegeven moment zei die zuster tegen mij: 'Zwijg maar, want een kind baart een kind.' En toen brak er iets bij mij. Ik ben naar binnen gekeerd en heb tegen mezelf gezegd te zwijgen, me in te houden... Ik voelde me opnieuw veroordeeld. Dat was enorm pijnlijk. De gynaecoloog heeft me ook niet goed begeleid. Ik was helemaal in paniek en als reactie gaf hij me een tik, opdat ik rustig zou worden. Maar zo voelde ik dat niet! Toen mijn bed uit de verloskamer werd gereden zei hij nog – ik denk dat hij echt wel besefte dat hij te ver gegaan was: 'We zijn weer vrienden.' Maar ik heb toen besloten dat ik daar nooit terug zou komen. Voor mijn twee andere kinderen heb ik dan ook een andere gynaecoloog gehad.* Hoe pijnlijk deze ervaring ook was – en nog steeds is, want het vertellen rijt heel wat oude wonden open – waren ze wel gelukkig wanneer ze Vic in de armen namen. *Toen ons kindje uiteindelijk geboren was, was ik zo enorm gelukkig. Ik heb gevraagd of hij onmiddellijk bij mij mocht.* Wanneer ze nu op de bevalling terugblikken, beseffen Myriam en Eric nog steeds welke steun ze niet gekregen hebben, maar wel nodig hadden. Zeker nu ze ervaren hebben welke begeleiding hun zwangere dochter had en welk beroep zij deed op haar ouders. *Nu onze dochter bevallen is en we gezien hebben hoe ze ons nodig had tijdens de geboorte zelf, en hoe ze ons in de buurt wou de eerste dagen na de geboorte, hoe ze feedback vroeg van haar moeder... Nu worden wij geconfronteerd met het feit dat wij dat niet ervoeren, maar ook zo nodig hadden.*

Ook nu blijven tienermoeders soms in de kou staan. Als je dan bovendien de taal niet spreekt en het gevoel hebt er alleen voor te staan, zoals in het geval van Esma, wordt het een schrijnend verhaal. Als Mongoolse vluchtelinge belandde zij immers toevallig in België. Ze vond wel wat opvang via sociale diensten, maar als je aankomt wanneer je al enkele maanden zwanger bent, ken je niet meteen alle woorden die nodig zijn om te communiceren over je zwangerschap, je bevalling, je kind. Pleegmoeder Eva doet Esma's verhaal. *Wij hebben niet het gevoel dat Esma voorbereid was op de bevalling. Ze is in België gearriveerd toen ze zes à zeven maanden zwanger was. Na enkele asielcentra is ze uiteindelijk terechtgekomen in een instelling waar er een aantal flats voorbehouden zijn voor niet-begeleide minderjarige mama's. Wij kenden haar nog niet op het moment van de bevalling. Haar zoontje Rik was een maand of zeven toen wij haar in ons gezin opnamen. Maar ze vertelde wel over de begeleiding en ondersteuning die ze kreeg, of eigenlijk niet kreeg. Ze verstond immers niets van de taal.* Taal of communicatie is de sleutel tot 'begrip', zo vertellen de verhalen ons. Of het gaat om letterlijk begrijpbare taal – zoals in Esma's verhaal – of om figuurlijk verstaanbare communicatie tussen jongeren en volwassenen: het is belangrijk om hun ruimte te geven hun (geboorte)verhaal te doen als eerste stap om hen terecht trots te laten zijn op wat ze goed doen.

Apetrots op de prestatie

Een geboorte is een onvergetelijke gebeurtenis. Dat blijkt ook uit het feit dat alle geïnterviewde meisjes en vrouwen hun bevallingsverhaal aan ons kwijt wilden. Het aspect omgaan met pijn en dan vooral de bewuste wens om zonder epidurale verdoving te bevallen, kwam opvallend vaak ter sprake, alsof de tienermeisjes willen zeggen: 'Kijk, wat ik kan', om daaruit zelfvertrouwen te putten en zich te bewijzen ten aanzien van de buitenwereld. Het geboorteverhaal van Marie en Carlo klinkt als een droom. *Bij de bevalling van ons eerste kindje kwamen we om zes uur 's avonds aan bij de spoedafdeling. Om acht uur braken mijn vliezen en om halfacht 's morgens is ons zoontje geboren. Ik ben zonder epidurale verdoving bevallen en ik heb geen enkele pijnscheut gehad. Voor de bevalling had ik wel weeën, maar niet echt heel hevig. We zaten om twee uur 's nachts zelfs nog naar de belspelletjes op tv te bellen. Bij de bevalling kreeg ik twee persweeën en toen was hij er al, dus ik heb echt niet veel gevoeld. Ik dacht altijd dat het immens veel pijn ging doen, dat het verschrikkelijk zou zijn, zeker omdat ik helemaal geen epidurale verdoving wilde.* Ook na de bevalling loopt alles heel vlot en geniet Marie echt van het prille geluk, blij met de keuzes die ze gemaakt heeft voor een natuurlijk proces van bevallen en het geven van borstvoeding. *Vlak na de bevalling was er niets om mij zorgen over te maken. Dat was de mooiste tijd van mijn leven. Ik zeg altijd: 'De twee zwangerschappen en bevallingen en wat erna gekomen is, is mooier dan trouwen.'* Het feit dat ik niet veel pijn gehad heb, maakte veel goed. *Ik was blij dat ik het zonder verdoving gedaan had. Ik heb ook altijd gezegd dat ik borstvoeding zou geven. Dat heb ik ook gedaan. Ik genoot echt van dat baby'tje, zeker wanneer ik borstvoeding gaf.* Uiteraard is het in het begin wel even wennen, wat Marie zelf wijt aan haar jonge leeftijd. Hoewel, is dit werkelijk leeftijdsgebonden? *Die eerste momenten waren wel wennen. Misschien omdat ik nog maar negentien was, al was ik er volgens mij toch wel op voorbereid. Een dag later is de ommezwaai gekomen. Enkel die eerste keer dat ik mijn kindje vastnam, voelde onwennig.*

Eveliens verhaal klinkt vergelijkbaar. Ook zij vertelt hoe ze haar bevallingspijn als iets natuurlijks ervoer. *Ik mag niet klagen over mijn bevalling. Om halftwaalf zijn mijn weeën begonnen en om negen uur was Xavier er. Een uur heb ik moeten persen, dus dat viel erg mee. Ik ben in bad bevallen, zonder epidurale verdoving, want dat mag niet als je in bad bevalt. Dat was een goede ervaring. Ik was meer bang voor die ruggenprik dan voor de bevalling. De bevalling is in mijn ogen iets natuurlijks.* Bovendien kon ook zij meteen genieten van een wolk van een baby. *Xavier was een zalige baby. Hij sliep goed, hij was braaf en ik vond hem heel mooi; er ontbrak niets aan. We waren allebei heel gelukkig. Hij was een droom van een zoontje, nog altijd. Ons hoor je niet klagen. Ik had wel last van de babyblues in het ziekenhuis, maar dat is normaal. En dan de gewone kwaaltjes: hij moest onder de lamp, omdat hij wat geel zag en hij at niet goed. Toen heb ik moeten afkolven. Maar over het algemeen heb ik er enkel goede herinneringen aan.*

Amy had zeker het gevoel klaar te zijn voor de bevalling, omdat ze zich goed had voorbereid. *Ik was echt heel geïnteresseerd in de bevalling en heb alle boeken gelezen die ik kon vinden en ook op het internet informatie gezocht. Bevalling en geboorte fascineren mij enorm,*

ik droom er dan ook van om ooit zelf vroedvrouw te worden. Voor de
bevalling had ik geen angst meer. Het feit dat ik er veel over wist, heeft
me geholpen. Bij de bevalling kan Amy niet rekenen op de steun
van haar familie, maar gelukkig zijn haar vriend en zijn familie
in de buurt. Vooral de liefdevolle aanwezigheid van haar vriend
was cruciaal voor haar. *Totdat ik weeën kreeg en in bad mocht, wa-*
ren mijn schoonmoeder en schoonzus ook bij de bevalling. Mijn part-
ner heeft ADHD *en die was tv aan het kijken. Dus in het begin heeft mijn*
schoonmoeder mijn hand vastgehouden. Ik ben iemand die liever met
rust gelaten wordt als ik weeën heb. Het is dan niet nodig om met mij
bezig te zijn. Bij de uiteindelijke bevalling heeft mijn vriend het goed
gedaan. Hij wreef over mijn hoofd en zei dat het wel zou goed komen.
Maar op die moment besef je niet veel van wat de mensen om je heen
doen. Ook Amy koos uitdrukkelijk voor een natuurlijke bevalling.
Ik heb geen epidurale verdoving gehad. Daar ben ik tegen. Alles wat niet
natuurlijk is, is taboe voor mij. Ik ben ook onder water bevallen. De be-
valling zelf verliep eigenlijk heel goed en duurde maar acht uur. Dus dat
is wel vlot gegaan, maar het was wel enorm pijnlijk. Het is het pijnlijk-
ste wat je als vrouw kunt meemaken, maar ik vind dat je die pijn moet
voelen, omdat die je nog dichter bij je kindje brengt. Je hebt dan ook
meer het gevoel van: Eindelijk, hij is er! Bij de bevalling van mijn eerste
kindje raakte ik even in paniek toen mijn vliezen braken, maar dat was
snel voorbij. Als je je opwindt gaat het trouwens trager. Je maakt adre-
naline aan en daardoor heb je nog wel weeën, maar zijn ze niet effectief
meer. Dus met dat in het achterhoofd mag je je er niet tegen verzetten.
Als je het over je heen laat komen, is het ook sneller achter de rug. Bij
de bevalling zat de navelstreng rond zijn nekje, daarom hebben ze hem
direct moeten weghalen om hem wat zuurstof te geven. Het heeft mis-
schien twee minuten geduurd, maar het waren wel twee helse minuten
waarin je niet weet of het in orde zal komen. Hij was helemaal blauw,

maar hij is er direct doorgekomen en toen heb ik hem bij mij mogen hou-
den voor huid-op-huidcontact en borstvoeding. Ik was helemaal over-
donderd. Ik heb pas drie uur na de bevalling mensen verwittigd, omdat
ik zelf die eerste uren aan het genieten was. Ik vond ook dat het allemaal
natuurlijk ging en dat je dan gewoon weet wat je moet doen. Niet ieder-
een heeft dat, maar ik wel. Als hij huilde, wist ik ook direct wat er aan
de hand was. Amy had, in tegenstelling tot Myriam en Eric, helemaal niet het gevoel anders benaderd te worden door het zieken-
huispersoneel. *Mijn gynaecoloog had zeker geen vooroordelen. Ze zei:*
'Hoe jonger je bent, hoe gemakkelijker het gaat.' Dan heb je minder risico
dat er iets verkeerd gaat bij de bevalling. Haar maakte het echt niet uit.
Sommige vroedvrouwen kwamen weleens vaker controleren, omdat ze
het niet helemaal vertrouwden. Maar vermoedelijk hebben ze wel erva-
ring met tienermoeders in het ziekenhuis waar ik beviel omdat het cig,
dat veel tienermoeders begeleidt, er in de buurt ligt.

De eerste kennismaking tussen ouder(s) en (hun) kind is een intense belevenis, die bij voorkeur in alle rust plaatsvindt. Die ge-
notsmomenten kan niemand meer afpakken van Marie of Amy.
Niet iedereen reageert echter op dezelfde manier op de emoties
van een bevalling, emoties die tijd vragen om verwerkt te worden.
Zeker bij een eerste kind is het wennen aan de nieuwe gezinssi-
tuatie en komt de nauwe band tussen ouder en kind wat later tot
stand. Dat is niet ongewoon, ook niet voor kersverse tienerouders,
zoals Elien. *Mijn bevalling werd tien dagen vroeger dan de uitgerekende*
datum ingeleid, omdat ik niet meer kon lopen. Ik werd om halfacht ver-
wacht in het moederhuis. Heel die nacht heb ik wakker gelegen, denkend:
Nu lig ik hier nog met mijn dikke buik en morgen lig ik daar met een baby
naast me! Ik zag ieder uur voorbijgaan en om halfzeven besloot ik op te
staan. Ik zette alle spullen klaar om te vertrekken en om zeven uur zijn

we in de auto gestapt! Ik was enorm zenuwachtig, ik wist niet wat mij te wachten stond. Om halfelf zeiden ze me dat de baby er pas in de vroege avond zou zijn. Mijn hart ging tekeer, ik had toen al zo'n pijn, moest ik daar echt nog zoveel uren liggen?! Om elf uur heb ik een epidurale verdoving gevraagd en toen werd ik wat kalmer en voelde ik de pijn niet meer. Emoties stroomden door mijn lijf. Ik weende van geluk, maar ook uit bezorgdheid: Zal ik wel een goede moeder zijn? Zal ik dat wel allemaal kunnen? Plots bleek Elien sneller dan verwacht klaar te zijn voor de bevalling, namelijk al rond de middag. *We vertrokken naar de verloskamer. Mijn vriend, moeder en broer stonden me bij. Per wee moest ik drie keer persen. En na vijf weeën, om kwart over één, werd onze baby geboren: een flinke zoon, Kenji. Hij woog 3090 gram en mat 49,5 cm. De kinderarts onderzocht hem en hij kreeg 10 op 10! Wat was ik blij dat alles in orde was! De eerste twee dagen waren wat onwennig. Ik durfde hem bijna niet aankleden, omdat ik dacht dat ik hem pijn zou doen. Ik had nog nooit een baby in mijn armen gehad. Iedere dag zat mijn kamer bomvol mensen, maar ik wou naar huis, genieten van mijn gezin en even uitblazen na al die stresserende dagen. Eenmaal thuis begon alles op zijn plek te vallen. Maar toen bleek dat iedereen maandag weer ging werken. Daar zat ik dan, alleen met mijn pasgeboren baby! Achteraf gezien was het eigenlijk beter, zo leerde ik alles, omdat ik geen hulp kon vragen aan de andere gezinsleden.* Niet alleen de bevalling, maar ook de manier waarop de kersverse tienermama's zich beredderen na de geboorte, maakt hen blijkbaar trots.

De eerste kennismaking met de wereld

Naar de komst van een kindje kan lang en intens worden uitgekeken. Zo is dat meestal ook voor grootouders, zeker als ze voor het eerst oma of opa worden. Bij ouders van tienerouders brengt het nieuwe leven, naast blijheid en trots, echter ook vaak angst en

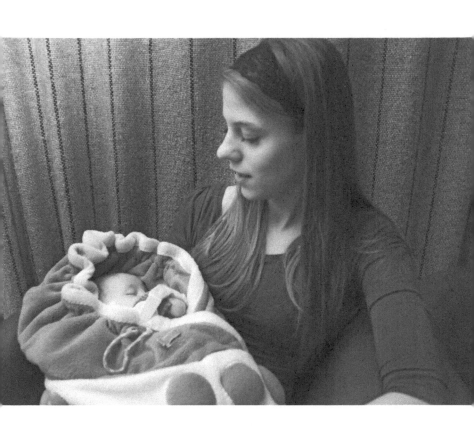

bezorgdheid met zich mee over of het allemaal wel goed zal komen... Marianne was bij de bevalling aanwezig, wat op zich al een
hele belevenis is: van nabij beleven dat je dochter moeder wordt.
Doordat ze bovendien zelf nog andere jonge kinderen heeft, leek
het zo onwezenlijk, alsof ze zelf opnieuw moeder werd. *Het eerste
moment dat ik haar met dat baby'tje zag, was echt raar. Het is al bizar
om je eigen dochter te zien bevallen. Dat is niet de normale gang van
zaken. Normaal ben je daar als mama niet bij, gezinnen die daar wel
voor kiezen zijn watjes: moederskinderen met mannen die niets te zeggen hebben. Een keizersnede maakt het dan nog vreemder. Daardoor zag
ik het kindje ook als eerste. Bovendien kwamen ze met dat baby'tje naar
mij: 'Hou het maar vast...' Het voelde aan als mijn baby. Het is van mij,
dacht ik, dit kan niet, ze is amper een scheet hoog en ze heeft een baby.
Dat was echt raar. Ik wil dat gevoel nooit meer meemaken. Echt niet.*
Diezelfde dag beseft Marianne maar al te goed hoe ingrijpend
haar leven zal veranderen door de komst van deze baby en ze wil
graag nog even van haar vrijheid genieten. Ze vergelijkt zichzelf
met een vader die de bloemetjes buiten gaat zetten om te vieren
dat hij vader geworden is. *Ik heb de taken van de man overgenomen,
omdat hij er niet was toen zij bevallen is. Hij gaat feesten, omdat hij
vader geworden is en ik moest gaan feesten omdat ik oma werd. Ik heb
dat echt gedaan. Ik was hele dagen bij haar, vaak tot tien uur 's avonds.
Daarna ging ik uit. Ze moest negen dagen blijven met haar keizersnede,
dus heb ik negen dagen gehad om te feesten. Het was zelfs zo dat ik de
laatste dag nog naar een feestje wilde. Omdat ik zelf verpleegster ben,
kende ik het personeel daar goed en eigenlijk mocht ze die dag naar huis.
Ik heb zitten porren om haar daar nog een dag langer te houden. Ik wilde
niet dat ze voor de eerste avond alleen thuis zou zijn met dat kindje. Ik
heb haar dat die avond ook gezegd en zij was pisnijdig. Ze wilde weg*

uit het ziekenhuis; thuis zou ze meer op haar gemak zijn. Maar ik had die ene dag nog nodig voor mezelf, mijn laatste zorgeloze dag. Zolang ze niet thuis was, was ik gerust omdat ze in het ziekenhuis in goede handen was als er iets mocht gebeuren. Ik dacht: Neen, ze mag niet alleen naar huis, dat zal niet gebeuren, punt uit. En dat is goed gelukt. Ik heb toen gefeest tot diep in de nacht en had echt te veel gedronken, maar 's morgens om acht uur kreeg ik al een sms van haar dat ze klaarstond om naar huis te gaan. 'Waar blijf je nou?' vroeg ze. Ik dacht: Ocharmen, dat schaap zit al met haar koffer te wachten, en toen ben ik haar meteen gaan halen. Die eerste dagen thuis waren toch wel leuk.

Linda is eveneens bij de geboorte van haar kleinzoon aanwezig, want ook in dit geval waren de tienerouders niet langer een koppel. Aangezien Linda verpleegster is, beleeft ze de bevalling wel op een heel andere manier – afstandelijker, meer nuchter. Het besef dat het om haar dochter gaat, dringt niet echt door. Misschien maar goed ook, want de bevalling gaat niet van een leien dakje. 's Nachts zijn de weeën begonnen, rond een uur of één. Lien kwam me wakker maken en klaagde over krampen in haar buik die naar haar rug trokken. Ik zei haar toen dat dat geen krampen, maar weeën waren en legde haar uit dat ze zich rustig moest houden en de tijd ertussen in het oog moest houden. Zo kwam ze me telkens opnieuw wakker maken als ze iets voelde. Uiteindelijk was dat elke vijf minuten en toen zijn we naar het ziekenhuis gereden. Ik heb Jo nog gebeld met de vraag of hij mee wilde, maar hij wilde liever thuis wachten en op de hoogte worden gehouden. Rond vier uur kwamen we in het moederhuis aan en daar kreeg ze meteen een ruggenprik. Onze Lucas is om kwart over één geboren. Lien heeft een heel zware bevalling gehad. Het ging goed tot een uur of halftwaalf, tot de weeën gewoon stil vielen. Toen hebben ze het infuus met weeënopwekkers harder moeten zetten en aan het einde bleek hij *nog een 'sterrenkijker' ook. Omdat hij bleef zitten, werd de zuignap op zijn hoofdje gezet, maar ook dat lukte niet. Uiteindelijk werd het de verlostang. De gynaecoloog zei: 'Had ik dat geweten, had ik een keizersnede gedaan.' Hij was eigenlijk net op tijd of Lucas had zuurstofgebrek gehad.*

Toen hij geboren was, zag hij een klein beetje blauw. Hij zei 'waaah' en viel toen meteen in slaap. Dat kind was gewoon uitgeput. Lucas was een mooie baby, die vredig sliep. Ik denk dat hij blij was dat hij er was. Ons Lien was heel ongerust: 'Dat is niet goed... hij ademt niet, hij schreeuwt niet...' Ik stelde haar gerust en zei dat dit normaal was, dat hij wel ademde. 'Wees blij dat het geen huilbaby is', zei ik. Dat is hij nog altijd niet trouwens: hij valt, staat weer op en loopt verder. Natuurlijk was ik ongerust, maar dan zet je gewoon je verstand op nul en hoop je op het beste. Het was een lange arbeid, ze had veel bloed verloren en moest wat langer op het verloskwartier blijven. Het was niet de eerste bevalling die ik zag, omdat ik dat ook had meegemaakt in mijn opleiding tot verpleegster waar ik stage liep op het verloskwartier en het moederhuis. Ook al was het mijn dochter, het was niet anders. Maar toen dacht ik vooral technisch. Nu heb ik veel meer gevoelens daarover dan toen. Op dat moment was dat van: we moeten door, vooruit.

Niet alleen voor de toekomstige grootouders, maar ook voor de broers en zussen van de tienermoeder is het natuurlijk een bijzondere gebeurtenis. Zij worden immers eerder dan gepland tante en oom. Hannelore was dan wel niet bij de bevalling aanwezig, maar herinnert zich nog goed de eerste keer dat ze haar nichtje ontmoette. Het feit dat ze ouder is dan haar zus die pas mama geworden is, geeft in het begin een beetje een vreemde indruk – maar dat went snel. *Het was wel raar om mijn kleine zus met een baby te zien. Als oudste zou ik de eerste moeten zijn met een kindje. Toch was ik heel blij met de geboorte. Hoewel ik in mijn eerste reactie op het nieuws van de zwangerschap van mijn zus dacht dat het misschien beter zou zijn dat ze haar kindje weg zou doen, veranderde dit gevoel tijdens de zwangerschap. En toen Luna geboren was, dacht ik helemaal: Dat had ze echt niet mogen weg doen. Ik was op slag verliefd op haar, op ons klein roske.*

De extra dimensie van jong bevallen

Geboorteverhalen van tienermoeders zijn niet zo verschillend van andere; uiteindelijk is het natuurlijke proces van de bevalling en het prille ouderschap voor iedereen hetzelfde. Toch zijn er net zoals met de zwangerschap enkele specifieke kenmerken aan de beleving van de geboorte bij tienermoeders. Dat toekomstige ouders zich op een of andere manier voorbereiden op het ouderschap ligt voor de hand. In hoeverre tieners daarbij de drang hebben om zich te bewijzen ten aanzien van anderen, is niet duidelijk. Ze willen het in ieder geval goed doen, waarbij ze ofwel vertrouwen op hun instinct ofwel zichzelf geruststellen door veel informatie te verzamelen. Bovendien zijn de concrete omstandigheden bij de geboorte van het kindje bij een tienermoeder wel bijzonder. Indien het jonge koppeltje nog samen is, speelt de partner een belangrijke ondersteunende rol. Dit is echter niet altijd het geval, waardoor naaste verwanten – vaak de moeder – bij de bevalling aanwezig zijn. Soms kiest de tiener er bewust voor om zowel haar vriend als haar moeder erbij te betrekken. Dit alles maakt het ook tot een heel aparte ervaring voor de ouders van de tienermoeder – los van het speciale dat elk pril grootouderschap in zich draagt. Tenslotte is het voor de omgeving in eerste instantie vaak wat vreemd om hun jonge dochter, zus of vriendin met een baby te zien. De overgang naar het zien van je dochter als een moeder is voor velen een bijzonder moment. Maar het besef dat ze zelf nog jong is – eigenlijk nog een kind, en nu een volwassen verantwoordelijkheid zal (moeten) dragen – geeft volgens deze betrokkenen toch een extra dimensie aan de geboorte.

De geïnterviewde meisjes en de mensen die hen omringden, kozen bewust voor het kindje en zien hun kind, kleinkind of nichtje dus graag. Het was dan ook gewenst. Maar wie kent de extreme verhalen uit de media niet, verhalen van een verborgen zwangerschap, ook van tienermeisjes. Een verdrongen zwangerschap die uitmondt in een eenzame bevalling, soms zelfs met kindermoord tot gevolg. Soms is het meisje of de vrouw psychisch niet meer in staat om hulp te vragen, ook al is er hulp voorhanden, zoals ondersteuning door Kind en Gezin, Expertisecentra Kraamzorg, zelfstandige vroedvrouwen of kraamhulp.

Een zwangerschap kan ook lang ontkend worden. Meestal gaat het om jonge (gemiddeld 23 à 24 jaar), ongehuwde vrouwen die zich geïsoleerd voelen in hun zwangerschap. Het betreft voornamelijk een eerste, ongeplande en vaak ongewenste of ontkende zwangerschap. Frappant is dat deze vrouwen vaak aangeven zich niet zwanger te hebben gevoeld. De verdringing van de zwangerschap kan zo sterk zijn dat de bevalling als een verrassing komt. Een vrouw in die situatie kan daardoor in paniek raken en minder in staat zijn om de nodige zorg te geven of te vragen voor haar pasgeboren baby. Preventie blijft daarom cruciaal, al zal het gevaar niet altijd tijdig kunnen worden onderkend, zeker als een meisje of vrouw erin slaagt haar zwangerschap verborgen te houden. Preventie kan specifieke zorg en zorgvuldige opvolging inhouden van risicogroepen, zoals meisjes of vrouwen die abortus overwogen, maar zich daarna bedachten, of slachtoffers waren van verkrachting. Zodra er een gebrek aan prenatale zorg wordt geconstateerd, zou dit een alarmbel moeten doen rinkelen.

HOOFDSTUK 6

DE ROZE WOLK VAN HET (GROOT-) OUDERSCHAP?

Ik heb er niet echt aan getwijfeld of ik een baby zou aankunnen. En als ik nu de mensen van mijn leeftijd zie, ben ik zelfs blij dat ik daar niet tussen hoef te lopen. Het is wel zo dat ik mijn uitgaansleven moest opgeven, maar dat deed ik met heel veel plezier. Ik was op het moment dat ik voor het eerst zwanger raakte al een beetje op het slechte pad en was zelfs de kant van de drugs op aan het gaan. Volgens mij is jong zwanger worden een teken dat je niet alles doet zoals je het zou moeten doen. Het feit dat ik zwanger ben geworden, heeft me gered. Ik heb onmiddellijk dat moederinstinct gekregen en ik ben van de ene op de andere dag gestopt met alles. Niet meer drinken, niet meer uitgaan... Mijn toenmalige partner is ook gestopt vanaf het moment dat we wisten dat ik zwanger was, samen met mij. Daarnaast hebben we al die oude vrienden links laten liggen, want die zaten er wel nog volop in. Vijf van de zeven dagen uitgaan leek toen heel normaal, maar nu vraag ik me af waarom ik dat toch ooit gedaan heb. Ik heb er geen heimwee naar.

Het ouderschap brengt tal van veranderingen met zich mee, ook voor tienerouders. Ze moeten zich aanpassen aan de nieuwe rol van opvoeder, met nieuwe 'volwassen' verantwoordelijkheden. Ze moeten leren een evenwicht zoeken tussen partner en ouder zijn, tussen weer naar school gaan of een job zoeken, tussen het huishouden en de opvoedingstaken... Amy erkende onmiddellijk haar verantwoordelijkheid en had er geen problemen mee dat dit kleine wezentje haar hele leven omgooide. Maar niet bij iedereen loopt het zo vlot. Anne bijvoorbeeld had niet het idee op een roze wolk te leven, maar had tijd nodig om zich voor te bereiden op het ouderschap en om haar moedergevoel te ontwikkelen. *Het was niet meteen een roze wolk waar ik op vertoefde. Pas na een tijdje besefte ik pas echt dat Bas MIJN kindje was. Dat moedergevoel is gegroeid. Ik heb veel gelezen over zwangerschap, bevalling en opvoeden en heb dat inzicht verworven. Het interesseerde mij enorm, ik wilde het echt begrijpen. Hoewel het moederschap eigenlijk geen wetenschap is, maar een kunst die je moet leren.* Meerdere kersverse moeders zullen dit gevoel herkennen: je moet je kind leren kennen en wennen aan je nieuwe rol.

Jong mama zijn
heeft zo zijn voordelen

Eens een tienermoeder wat gewend is aan het idee dat ze werkelijk moeder geworden is, kan ze ook de leuke kanten ervan erkennen. Ze zit bijvoorbeeld nog vol energie en kan zich makkelijk verplaatsen in de leefwereld van haar kind, omdat zij zich nog goed kan herinneren hoe het was om zelf jong te zijn. Hierdoor is de band met het kind vaak iets speelser, iets vriendschappelijker ook – althans zo ervaart Anne het. *Ik ben zelf nog speels en kan gemakkelijk met hem in zijn spel opgaan. Extreem zot doen kan ik wel en dat zie ik andere, oudere ouders minder doen. En ik ga meer om met Bas alsof hij mijn maatje is in plaats van mijn zoontje. Wij zijn ook gewoon vrienden. Dat is zo plezant.* Ook Evelien ervaart het als een voordeel om gewoon met haar kind te kunnen ravotten in een speeltuin. *Als* ons kind 6 jaar is, dan ben ik 23 en kan ik nog meedoen in de speeltuin, terwijl iemand van 30 jaar dat niet meer doet. Je kunt je meer inleven in je kind, want je verschilt eigenlijk niet zo veel in leeftijd. Mijn moeder die nu 45 jaar is, kan zich niet meer inbeelden hoe de jeugd nu is. Ik zal dat beter kunnen. Ook Hannelore geniet ervan om gewoon wat zot te kunnen doen met haar nichtje, zonder zich te moeten verantwoorden. Het leuke aan jong tante zijn is dat ik het nu aan Luna kan wijten dat ik soms een beetje onnozel en zot doe. Ik moet wel, voor een tweejarig kindje! En je kunt dat doen zonder je te verantwoorden.

Hoewel de relatie tussen tienerouder en kind misschien wat minder stroef is, hoeft dit niet te betekenen dat tienerouders geen grenzen kunnen aangeven. Anders opvoeden is niet slechter, volgens Ellen. Voor onze Cédric is het wel tof dat we jong zijn. Ik ben wel zijn mama, maar ook nog een goede vriendin. Dat voel ik echt zo. Bovendien voeden wij onze kinderen heel anders op dan wij zelf zijn opgevoed. Je neemt dikwijls zaken over van je ouders, zoals sommigen zeggen: 'Mijn vader of moeder deed dat ook zo.' Maar bij ons is dat niet, onze kinderen worden echt totaal anders opgevoed dan wij. Wij zijn veel opener met onze kinderen. Van wat de mensen denken trekken we ons niks aan. Ik ben ook veel minder streng. Ik babbel heel veel met onze jongens. Mijn ouders waren veel strenger, zij zeiden vaak: 'Wees niet zo brutaal' of zo. Onze Cédric mag van mij best eens brutaal zijn en dan praat ik daar met hem over. Ik maak afspraken met hem. Als je zo jong mama geworden bent, denk je wel na over: Hoe ga ik het doen? Ik ga het anders doen. Ja.

Wat sommige tieners ook als een voordeel ervaren, is het feit dat – hoewel de zwangerschap vaak ongepland is – het onverwachte kind zin, betekenis en perspectief aan het leven kan geven. Zo vertelde Amy in het begin van dit hoofdstuk hoe de komst van haar zoontje haar weer op het rechte pad bracht. En Aya verleerde haar gekke kuren niet, maar beseft tegelijkertijd dat ze nu een belangrijke verantwoordelijkheid heeft – een verantwoordelijkheid die haar een doel geeft. *Ik weet dat ik nu een grote verantwoordelijkheid heb, maar op school blijf ik gewoon Aya, de zotte die gewoon nog een 'kind' is. Als ik Cliff bij me heb, ben ik 'mama Aya', die weet waar ze mee bezig is. Ik zou nooit meer zonder Cliff kunnen of willen, mijn leven draait om hem. Hoe je het ook draait of keert, hij zal er altijd zijn. Cliff is ondertussen bijna zestien maand en ik ben achttien geworden. Het lijkt alsof hij al heel mijn leven bij me is en ik nooit anders heb gekend. Het lijkt nu een beetje of ik het perfecte leven leid. Cliff is ook een zeer brave jongen: hij eet en slaapt heel goed en hij loopt flink voor op zijn leeftijd, hij kon met 9 maanden al lopen. Mijn vriend, ouders, vrienden en familie, echt iedereen staat achter mij en Cliff. Ik had eigenlijk nooit durven dromen dat het zo goed zou gaan. Voor ik zwanger was, wist ik eigenlijk niet goed wat ik wou in mijn leven, ik had geen doel. Nu ik Cliff heb, weet ik waarom ik leef en heb ik een doel in mijn leven: mijn zoon opvoeden tot een volwaardig persoon.*

Uitdagingen van het jonge ouderschap...

De verhalen van onze tienerouders en hun omgeving maken duidelijk dat de weg naar het ouderschap niet over rozen gaat. Want tegenover de leuke kanten van het jonge ouderschap, staan ook minder leuke kanten. Een kind hebben is een grote zorg: je moet er 24 uur per dag zijn voor je kind, met alle bijbehorende 'volwassen' verantwoordelijkheden, praktisch en emotioneel. Door een frequent huilende baby kun je oververmoeid worden en prikkelbaar reageren. Het kan jou onzeker maken over de vraag: Kan ik dit wel aan? Bovendien ruil je een onbezorgde jeugd en vrijheid in voor een meer gebonden leven, met grote verantwoordelijkheden.

Het lijkt haast taboe bij tienerouders om het toe te geven, maar Hendrik vertelt heel open en eerlijk over deze verandering en dit gemis. *Ik denk wel veel na over wat als Xavier er nu niet was geweest... Ik mis mijn vrijheid wel. Ik zit heel graag alleen thuis bij mijn ouders en nu moet ik hier de hele tijd bij Evelien en Xavier zijn, dat is een verplichting ten aanzien van Xavier. Maar ik lig gewoon graag op mijn bed om een boek te lezen, playstation te spelen, tv te kijken... We hebben er wel over gepraat en binnenkort breng ik mijn playstation mee naar hier. Ik ga ook een tv'tje kopen en op haar kamer zetten. De volgende stap is een groter bureau voor mijn computermaterieel, want ik studeer informatica. Dat betekent dat ik me wat meer kan afzonderen hier, dat ik op mijn gemak alleen bezig kan zijn, bijvoorbeeld als Xavier slaapt. Ik ben niet zo'n familiemens, ook al beschouw ik Evelien en Xavier wel als mijn familie en ben ik hier meer dan thuis.* Het klinkt misschien vreemd, maar veel van zijn vrienden weten zelfs niet dat hij een kindje heeft. Wil Hendrik op die manier toch een gewone tiener blijven? *De meeste van mijn kameraden weten zelfs niet dat ik papa ben. Evelien zegt dat tegen Jan en alleman, ik hou dat voor mezelf.* Het valt hem dan ook niet zo moeilijk om op sommige momenten even te vergeten dat hij een zoon heeft. *Tenzij er iets is, zoals laatst toen hij in het ziekenhuis lag. Dan moet ik er toch elk moment aan denken.* Volgens Evelien is dat het verschil tussen een moeder en een vader: *Ik zit geen seconde zonder Xavier in mijn hoofd. Hij kan beter de knop omzetten naar: ik ben nu geen papa.* Voor Hendrik was de aanpassing wel moeilijk. *Als we ergens heen gaan, kan je niet zomaar even dit of dat doen, want je moet er rekening mee houden dat Xavier nog moet eten of een vuile luier heeft.... Ik denk dat vooral dat zijn probleem was. Bij mij ging dat bij wijze van spreken vanzelf, met vallen en opstaan. Bij hem is dat trager gegaan, moeilijker ook.* Voor Evelien is het makkelijker om met deze veranderingen rekening te houden en zich aan te passen. Beiden proberen wel nog wat vrije tijd te hebben, maar voor Evelien is dit minder belangrijk. Haar tijd met Xavier is goud waard. *We hebben wel activiteiten buitenshuis: Hendrik heeft zijn wekelijkse amateurpokeravond (zonder geld) en ik ga weleens met vriendinnen weg. Ik probeer meestal te regelen dat er een filmavond bij mij thuis is, want dan hoeven we geen babysit te zoeken. En ik heb veel vriendinnen die zeggen: 'Als er iets is, bel dan maar. Hij mag blijven slapen.' Dus op dat vlak heb ik ook een heel goede vriendenkring. Af en toe denk ik wel: Als Xavier er niet was, dan hoefde ik niet te denken aan al dat geregel vooraf. Dan kon ik gewoon zeggen: 'Oké, ik ga mee.' Maar ik krijg er andere zaken voor in de plaats. Ik denk niet dat ik iets mis, omdat ik al die momenten met Xavier heb die andere mensen van mijn leeftijd dan weer niet hebben. Zoals wanneer hij 'mama' zegt, wanneer hij mij een kusje komt geven of als hij iets zots doet. Je kan daarover babbelen en erom lachen. En ik vind dat veel belangrijker dan elke week naar de discotheek te kunnen gaan.*

Naast de beperking van hun vrijheid staan tienerouders ook voor andere uitdagingen. Eén daarvan is hun financieel onderhoud: hoe zullen ze het redden? Misschien zitten beiden nog op school en zijn ze afhankelijk van hun ouders of van een vakantiejob. Of misschien kiezen ze ervoor dat het meisje thuisblijft en er maar één kostwinner is. Of ze hebben door omstandigheden geen diploma gehaald en ze moeten een minder betaalde job accepteren, of zelfs een werkloosheidsuitkering. *'Onze financiële problemen zetten een serieuze domper op ons geluk'*, zegt Ellen en daarmee vat ze in een notendop een knelpunt van veel tienerouders samen. *Mario had werk als vloerlegger, maar toch hebben we het financieel heel moeilijk gehad. Nu we er financieel beter voor staan, besef ik ten volle hoe goed we het hebben en dat besef probeer ik onze kinderen ook mee* te geven, zonder dat zij hetzelfde hoeven mee te maken als wij. Wij hebben echt dikwijls boterhammen met chocopasta moeten eten bij gebrek aan meer. We woonden toen in een mooi appartement met een redelijk hoge huur. Achteraf bezien hadden we dat toen misschien niet moeten doen, maar je weet als jongere niet wat er financieel allemaal op je af zal komen. Wij zijn toen erg geschrokken van alle rekeningen van het ziekenhuis, kosten voor luiers, flesvoeding enzovoort. Nu ben je daarop voorbereid en weet je ongeveer wat een kind kost, maar toen niet. Als ik er nu op terugkijk, denk ik niet dat ik meteen aan een tweede kind begonnen zou zijn gezien onze financiële situatie. Een derde of vierde kind was er dan ook niet gekomen. Het is echt wel zo dat het verstand met de jaren komt. Daar denk ik nu bewust over na, maar toen was dat zo van: Oei, onze Cédric mag niet alleen blijven, die moet een speelkameraadje hebben. En twee jaar later is onze Marnick al geboren. Op dat moment zei Mario: 'Ellen, ik moet iets anders ondernemen, meer uren gaan werken.' Hij werkte toen nog samen met zijn vader, voor een minimumloon. Maar hij is van werk veranderd: hij ging tenten voor evenementen opzetten en afbreken, ook in het buitenland. Dat was dag en nacht werken, ook soms elders overnachten, maar dat verdiende wel goed. Hij zei wel: 'Ik blijf dat niet doen, want in hart en nieren ben ik een vloerlegger', waarna hij met zijn baas ging praten en meer overuren kreeg. Hij ging er echt voor en zo zijn we stilaan uit onze moeilijke financiële situatie geraakt. Met onze volgende kinderen hebben we dan ook iets langer gewacht. Zij waren gepland, want ik zeg altijd: 'Een accidentje, dat heb ik nooit meer, dat kan je maar één keer overkomen.' Gelukkig is Mario een doorzetter, een echte optimist die mij altijd oppepte met opbeurende woorden zoals: 'We zullen er geraken en alles komt goed.' Nu is hij zelfstandige en ik bewonder hem om wat hij bereikt heeft.

Financiële afhankelijkheid van je ouders of over beperkte financiële middelen beschikken geeft tienerouders vaak een gevoel van 'moeten overleven'. Dit gaat bovendien gepaard met schaam-tegevoelens. Doordat ze zich vaak willen 'bewijzen', durven tie-nerouders voor de buitenwereld niet toe te geven hoe zwaar die problemen wel wegen. *Ik heb thuis nooit verteld dat we het financieel zo zwaar hadden, maar ik denk wel dat mijn vader dat zag. Op een bepaald moment lag hier een stapel rekeningen om te betalen, waarop hij ons spontaan 50 euro toestopte. Hij zei erbij dat hij niet wilde dat we dat terugbetaalden en wilde er verder niets meer over horen. Wij logen ook over onze financiële situatie. We vroegen bijvoorbeeld met een smoes geld aan mijn zus : 'Mijn bankkaart is ingeslikt omdat ik een verkeerde code ingaf, ik zal je dat later wel teruggeven.' Zo verzonnen we altijd wel iets. Zij gaf dat dan en zei daar nooit meer iets over, maar nu vermoeden we dat zij toen wel wist hoe het precies zat. Ik schaamde me. Rechtstreeks toegeven dat het niet lukte en openlijk zeggen: 'We hebben geen geld, kunnen jullie ons voorschieten?' durfde ik niet. Ik wilde het zo graag echt goed doen en wilde ook aan mijn ouders laten zien dat we het goed deden, maar financieel kwamen we er toen niet... Andere mogelijkheden voor financiële hulp, daar was ik toen niet van op de hoogte. Je bent van vandaag op morgen weg, je wordt losgelaten. Het was van 'Hup, de wijde wereld in en trek jouw plan.' Ik wist niet wat er allemaal bestond. Nu zou ik via de computer opzoeken waar ik terecht zou kunnen, maar toen kon dat nog niet. Bovendien durfden we er niet voor uitkomen, dat speelde misschien nog meer mee.*

Van een beperkte financiële draagkracht terwijl je aan iedereen wilt laten zien dat je wel een goede ouder kunt zijn, kunnen ook Marie en Carlo meespreken. De financiële problemen begonnen met de diagnose van een immuniteitsziekte bij hun tweede zoon, met hoge medische kosten tot gevolg. Ze maakten schulden en gingen een lening aan om hun schulden te kunnen afbetalen. *Ik ben afgestudeerd als logistiek assistent in juni en in juli zijn we gaan samenwonen. Eigenlijk woonde ik al vanaf mijn vijftiende in het weekend*

bij hem, maar nu hadden we echt ons eigen stekje. We waren tevreden!
Ik heb echter nooit gewerkt. Toen ik zwanger was van ons eerste had
mijn man ook geen werk. We leefden toen van één werkloosheidsuit-
kering, daarvan kwamen we wel rond. Hij solliciteerde en heeft toen
twee jaar in de haven van Antwerpen gewerkt. Toen ik zwanger was
van onze tweede, heeft zijn baas hem ontslagen. Sindsdien zitten we een
beetje in de ellende. Met twee kinderen is financieel rondkomen wel iets
moeilijker. Nu werkt hij deeltijds, maar dat is ongeveer hetzelfde als de
werkloosheidsuitkering. Ik zeg altijd dat we het wel zullen redden, en
meestal is dat ook zo. We moeten positief blijven, anders blijf je nergens.
Ik mag tegenover niets negatief staan, of het mislukt. Toen ik hoorde
dat ons tweede kindje doof was, was alles negatief. Dat wil ik niet meer,
ik heb te diep in de put gezeten... We hebben nu sinds twee maanden
budgethulp bij een OCMW. *We krijgen 85 euro in de week om mee rond te*
komen. Daar hebben we het nu veel moeilijker mee dan toen we het al-
lemaal zelf konden beheren. Als je naar de apotheek moet bijvoorbeeld,
dan moet ik bellen voor geld. Dan vragen ze of het echt nodig is, maar
natuurlijk is dat echt nodig. Ik ga echt geen centen vragen als dat niet
nodig is. En medicatie is wel dringend.

Kopzorgen over financiën: het treft de meeste tieners. Amy
deelt die moeilijke situatie en vergelijkt zichzelf met haar leeftijdsgenoten. Hoe spontaan haar moedergevoel ook ontstond,
haar financiële situatie doet haar vragen stellen over jong moederschap. Hoewel ze een beter mens geworden is door haar kind,
beseft ze ook dat het misschien niet onverstandig is om wat langer te wachten. *Moeilijk is het feit dat ik geen geld heb en het financieel*
zwaar heb: ik ben werkloos en leef van een uitkering. Tot ik een diploma
heb, zal ik het nooit breed hebben. Als ik dan om me heen kijk en ik zie
oud-klasgenoten die hoge studies gedaan hebben en nu een eigen huis
hebben, en alles kunnen kopen wat ze willen... Dat heb ik nooit gekund.
Ik kan enkel in de uitverkoop kleren kopen. En ik zou ook meer kopen

voor mijn kindjes dan voor mezelf. Ik raad andere mensen aan te wach-
ten om aan kinderen te beginnen tot ze geld hebben, zodat ze niet aan
de grond zitten zoals ik. Tegelijkertijd maakt Amy er een punt van
dat haar kinderen hier niets van merken. *Mijn kindjes zullen nooit*
merken dat ik niet veel geld heb. Zij hebben nooit iets minder dan an-
dere kindjes. Het kan echter frustrerend zijn als je je kind meer wilt
geven dan je kunt. Gelukkig zijn er dan soms vrienden of familie
die bijspringen, zoals bij Evelien en Hendrik. *Financieel is het soms*
frustrerend. Ik ben iemand die Xavier graag verwent. Dat is dus moei-
lijk, maar aan de andere kant zou hij alleen maar bedorven raken als ik
meer geld had. Maar we doen wel uitstapjes met hem, zoals naar een
pretpark. In het begin was gezegd dat Hendriks ouders niets hoefden te
betalen, maar zijn vader brengt soms spontaan luiers, vochtige doekjes
of eten. Nooit geld, maar wel spullen die we nodig hebben en waardoor
wij veel geld kunnen uitsparen. Hendriks peter en vrienden geven veel
spullen die te klein zijn of die hun eigen kinderen niet meer gebruiken,
zoals oud speelgoed. Mijn vader draagt alle andere kosten. Zelf werken
we wel ieder een maand in de zomervakantie en dan betalen we de crè-
che. Dat soort regelingen groeien spontaan.

Financieel het hoofd boven water houden blijkt – zeker zonder
hulp van hun omgeving – allerminst een makkelijke opgave. De
school afmaken kan een voorwaarde zijn om deze uitdaging uiteindelijk tot een stabiel einde te brengen, maar dit is een andere
uitdaging…

Combinatie school en ouderschap: een haalbare kaart?

Een tiener zit gemiddeld meer dan zeven uur per dag op de
schoolbanken. Daarom is het ongetwijfeld een van de belangrijkste aspecten in zijn of haar leven. Niet alleen is het de omgeving

waar ze het meest in contact komen met leeftijdsgenoten, maar hun resultaten op school beïnvloeden ook hun kansen voor de toekomst. Niet zelden maken tieners, hun ouders en eventueel ook hun schoolomgeving zich ongerust over de manier waarop jong ouderschap roet in het eten lijkt te gooien. Alsof financiële vragen nog niet volstaan, kampen vele zwangere tieners en tienerouders – vooral tienermoeders – met problemen om school, zwangerschap en ouderschap te combineren. Hannelore vertelt hoe erg ze het vindt dat haar zus haar school niet heeft kunnen afmaken. Volgens haar had de school hier een grotere inspanning kunnen doen. *Het enige wat ik spijtig vond is dat mijn zus haar school niet heeft kunnen afmaken. Ze zat in haar vijfde middelbaar, richting verzorging, net als ik.* Er waren volgens Hannelore twee factoren die een rol speelden in het uiteindelijke falen van haar zus op school. Ten eerste ligt het niet voor de hand om voltijds naar school te gaan als je zwanger bent, laat staan als je bevallen bent. Ten tweede waren er stages waarvoor haar zus gedeeltelijk niet geschikt bleek. *We moesten stage doen, zowel bij bejaarden als bij kindjes. Ze was niet geslaagd voor die stage bij kindjes. Dat was niet echt iets voor haar, met een groep kindjes praten, liedjes zingen… en dat met iemand erbij – dat lag haar gewoon niet. Ze is ook eerder een verlegen type.* Hannelore vindt echter dat deze slechte stage haar zus niet had mogen belemmeren af te studeren. Indien de school maar wat flexibiliteit aan de dag gelegd had, was het mogelijk geweest. *Ik vind wel dat ze iets meer hun best hadden mogen doen op school om haar slaagkansen te vergroten. In het zesde jaar heb je een keuzestage en aangezien zij toch al wist dat ze voor bejaardenzorg zou kiezen in plaats van voor kinderverzorging, hadden ze haar kunnen laten slagen. Ze hadden haar dus iets meer mogen ondersteunen en rekening mogen houden met haar zwangerschap.*

Alexia zat in het derde middelbaar toen ze zwanger bleek. Doordat ze al tijdens haar zesde zwangerschapsmaand complicaties had, moest ze bijzonder veel rusten en mag ze haast niets meer doen. Een boekentas tillen, een hele dag op de schoolbanken zitten... het kon niet meer. Op doktersadvies gaat ze de ene dag naar school en neemt ze de andere dag rust. Ze doet wel haar best. *Hoe moe ik ook was na school, ik moest nog aan mijn taken en groepswerkjes beginnen. Ik heb dat allemaal gedaan; ik heb al mijn testen gedaan.* Op het moment van de examens moet ze bovendien helemaal thuisblijven en rusten. Bijgevolg is ze niet geslaagd, omdat de school beweerde over onvoldoende punten te beschikken om haar te laten slagen. Alexia is hierover bijzonder verbaasd. *Dat kwam door mijn zwangerschap en daar kon ik toch niets aan doen! Maar zij vonden dat het mijn eigen fout was dat ik zwanger was, dat het mijn keuze was. Als ze tegen mij zeggen dat ik moet kiezen tussen de school of mijn kindje, dan weet ik het wel.* Als je langdurig ziek bent, kun je als leerling wel thuis bijles krijgen, maar de school was niet bereid daarop in te gaan. *Zwangerschap is geen ziekte, zeiden ze. Ik heb gezegd dat ik dat begreep, maar ook benadrukt dat ik echt moest rusten. Ze antwoordden toen dat het mijn probleem was.*

Ook de dochter van Marianne haakte af op school, hoewel ze wel de intentie had om haar kappersopleiding te voltooien. Ze hoefde nog maar één jaar te doen. Dat was ook meteen Mariannes eerste bezorgdheid: Hoe zal ze een kind en school combineren? Het blijft voor Marianne een van de belangrijkste redenen om zich te verzetten tegen het feit dat 'kinderen vlug kinderen krijgen'. *Ik had het idee dat als ze bevallen was, ze veertien dagen later alweer naar school moest om haar examens af te leggen. Maar ze beviel op de eerste dag van de examens, dus dat ging natuurlijk niet.* Lenthe was ook wel liever langer naar school gegaan, maar als kapster zat haar buik in de weg. Bovendien kun je moeilijk de praktijklessen tot een goed einde brengen, want je mag geen haar meer kleuren, je moet oppassen met bepaalde producten enzovoort. Daarnaast speelt ook de sociale druk van haar peers niet in haar voordeel: Lenthe merkt dat er over haar geroddeld wordt en bezwijkt er haast onder hoewel ze dacht ertegen opgewassen te zijn. De commentaren worden haar te veel. Eigenlijk vindt haar moeder dat ze daar maar tegen moet kunnen. *Als je die keuze maakt, moet je daarvoor gaan en dan moet je dat erbij nemen. Dan moet je daarboven staan.* Maar Marianne begrijpt ook wel dat je als zestienjarige niet opgewassen bent tegen zulke reacties, zeker niet wanneer de halve school je nakijkt en je voortdurend opmerkingen krijgt van leerkrachten. Marianne hoopt dat Lenthe alsnog haar diploma zal halen, via middenjury of zo. Haar dochter beseft ook wel dat ze iets zal moeten doen, omdat ze zonder diploma niet ver zal komen. Tegelijkertijd steunt Marianne Lenthe ook wel in haar beslissing om het nu wat rustiger aan te doen en voor haar kind te zorgen, zodat ze dat kan zien opgroeien deze eerste jaren. *Misschien krijgt ze maar één kindje en als ze dat moet combineren met school, dan ziet ze haar dochter niet opgroeien. Dat wil ik haar niet ontnemen.* Via de attesten die de dokter bezorgde, was ze de afgelopen vijftien maanden gewettigd afwezig. Daarom hebben ze besloten dat Lenthe tot haar achttiende thuis zal blijven, maar daarna moet ze werk zoeken of weer gaan studeren.

Momenteel is er geen duidelijk wettelijk kader voor zwangere tieners of jonge tienermoeders. Bijgevolg wordt in deze situaties vaak ad hoc gereageerd door de school, al dan niet in samenspraak met een centrum voor leerlingenbegeleiding. Daarnaast kan een arts of gynaecoloog een belangrijke rol spelen. Die kan bijvoorbeeld zwangerschapsverlof voorschrijven, wat Paulines gynaecoloog deed. Maar zelfs in dat geval is de tiener nog afhankelijk van de bereidwilligheid van de school, die het ziekenbriefje al dan niet kan aanvaarden en ongeldig kan verklaren wanneer ze zwangerschap niet als een ziekte beschouwt. Bij Pauline aanvaardde de school het wel. *Mijn school loopt tot eind juni, maar voor mij is het nu eigenlijk gedaan omwille van het briefje van de gynaecoloog.* Toch krijgt Pauline dit jaar geen diploma. *Ik kan dit jaar niet meer slagen. Dat heeft te maken met allerlei kwesties op mijn werk, waar ik drie dagen werken combineer met twee dagen school, waar ik zelf niets kan aan doen.* Of ze haar laatste jaar dus nu nog zal inhalen of toch liever probeert zonder diploma aan de slag te gaan, is nog even koffiedik kijken.

Wellicht zijn zwangere tieners die hun school afmaken in de minderheid. Hier kunnen verschillende factoren een rol spelen: gebrek aan toekomstperspectief, persoonlijk karakter, persoonlijke keuze, houding van de school en steun van de omgeving zijn er enkele. Lien is wel met succes afgestudeerd. Op het moment dat Lucas geboren werd, was ze achttien. Om haar diploma te halen moest ze haar technische opleiding elektriciteit nog twee jaar voortzetten – een richting waarin ze uitsluitend omringd was door jongens. *Er was nog nooit een meisje afgestudeerd in die richting en dan blijkt het kind nog zwanger te zijn ook*, vertellen haar ouders, Linda en Marcel. Met hun steun slaagt Lien erin om haar studies af te maken. Na wat tijdelijk werk en een bijscholing om les te geven staat Lien nu al drie jaar in het onderwijs.

Ook Roos heeft haar middelbare studies met succes beëindigd, met belangrijke ondersteuning van de school, zowel emotioneel als praktisch. *Ik ken niemand die niet meer tegen me wou praten of zo, dat heb ik niet ondervonden. Integendeel, ik ben weleens teruggegaan naar school na mijn bevalling, ik ben de kleine gaan tonen en toen hebben ze zelfs een cadeautje gekocht. Mijn klasgenoten zijn ook bij ons thuis op bezoek geweest, dat had ik niet verwacht ... 's Morgens nam ik mijn zoontje af en toe eens mee, samen met ons mama dan, en dan waren ze blij dat ze hem nog eens konden zien.* Ze zat in het vierde middelbaar algemeen secundair onderwijs wanneer ze zwanger bleek. Een jaartje later stapt ze over naar het technisch onderwijs, richting kantoor. Niet omwille van een opgelopen studieachterstand door de zwangerschap, maar omdat dit al enige tijd de beste optie leek. *Ik deed economie, maar was niet goed in wiskunde. Ik had het eigenlijk al lang volgehouden, maar ik had wel verwacht dat ik het niet zou afmaken. Ik vond dat ook niet erg, want daardoor werd het iets makkelijker.* Tot een week voor de bevalling kon Roos nog naar school gaan. Intussen zorgde de school voor extra begeleiding aan huis zodat haar achterstand niet te groot werd. Een maand na de geboorte en twee dagen voor de examens gaat ze terug naar school, waar ze zonder uitstel de draad weer oppikt. En... ze slaagt! Ze hoopt volgend jaar af te studeren om daarna te kunnen doorstromen naar het hoger onderwijs.

Voor Evelien en Hendrik is het onmiddellijk duidelijk dat ze hun studies willen afmaken, omdat ze pas zestien zijn op het moment van de zwangerschap. Weer naar school gaan na haar 'moederschapsrust', blijkt echter niet eenvoudig. Ook op school zijn de implicaties van een kind in je jonge leven immers voelbaar, zowel emotioneel als praktisch. *De eerste dag was hij bij mijn mama en vanaf de tweede dag ging hij naar de crèche. Hem 'achterlaten' was wel moeilijk. Hij was nog maar vier weken, echt nog zo'n klein boeleke. Vooral 's nachts was hij als baby voor mij heel vermoeiend! Ik werd meestal twee keer wakker, maar ik moest er om zes uur à halfzeven uit om hem klaar te maken en naar school te vertrekken. Op school viel ik dan ook geregeld in slaap, oververmoeid was ik. Maar ook op dat vlak* kreeg ik hulp. *Mama stond op om mij te steunen. En later, toen Xavier flesjes kreeg, sprong Hendrik weleens in.* Gelukkig viel het studeren op zich wel mee. *Het studeren lukte wel. Ik heb een auditief geheugen: dus als ik iets hoor, onthoud ik het. Ik moest alleen zien dat ik wakker bleef in de les. Dan kende ik de helft van mijn examen al. Thuis hoefde ik dan niet veel meer te doen. Dat ging goed in mijn middelbaar, ik ben geslaagd. Nu zit ik op de hogeschool en dat gaat ook goed. Ik studeer voor onderwijzeres in het lager onderwijs, mijn vader achterna. Het is wel iets moeilijker te combineren met het moederschap dan in het middelbaar. Daar ben je ten laatste om halfvijf klaar en je begint ten vroegste om halfnegen. Nu heb ik soms les tot zes uur en we beginnen soms al om acht uur. Het is ook wat moeilijker bereikbaar en ik ben dan ook wat langer onderweg. Gelukkig heb ik hulp van papa en zo lukt het wel. Intussen is Xavier 2,5 jaar. Hij moet nu ook redelijk lang in de crèche zijn: van 's morgens zeven tot 's middags vijf. Maar als ik eens wat vroeger ben, dan stuurt hij me gewoon naar huis. Hij is daar graag. Als hij aankomt begint hij meteen te spelen; dat mama weggaat, daar trekt hij zich niet zo veel van aan. Als hij naar de kleuterschool gaat, zal het moeilijker worden, maar aangezien mijn vader in het onderwijs staat, is die woensdagnamiddag thuis en ook door de week is hij niet zo laat klaar met werken. Zijn naschoolse activiteiten, zoals boodschappen doen en dergelijke, kan hij dan met Xavier doen. Dan zal ik waarschijnlijk ook met de auto naar school gaan, dus dan ben ik zelf wat eerder thuis dan nu met de bus. Ik ben aan het sparen voor een auto. Mijn vader vindt dat allemaal goed, want hij ziet Xavier heel graag en zou er alles voor doen, denk ik. Als het goed weer is, breng ik Xavier met de fiets, dan hoeft opa eens niet te rijden. Maar voorlopig doet hij dat allemaal graag.* Hieruit blijkt duidelijk hoe belangrijk de steun is van de familie. Evelien beseft dit en erkent het ook uitdrukkelijk. *Je redt het niet zonder steun van je ouders. Als je naar school gaat en werkjes moet maken,*

kan dat pas als de kleine in bed ligt. En dan moet je soms zelf nog eten. Dan is het vermoedelijk al acht à half negen als je kunt beginnen. Omdat ik in het onderwijs sta, moet ik lessen voorbereiden. Als ik daar om halfnegen mee begin, lig ik niet voor elf uur in bed. En de dag erna moet je er weer vroeg uit. Als je naar school gaat en geen kind hebt, dan kun je zeggen: zaterdag slaap ik tot twaalf of één uur. Maar dat kunnen wij niet. We moeten er ten laatste om acht uur uit. Gewoon kunnen slapen zo veel als je wilt, mis ik het meest: als mama heb je altijd slaapgebrek.

Evelien kon bovendien ook op heel wat begrip rekenen op school, zowel van leeftijdsgenoten als van leerkrachten. In het algemeen gingen ze op school met mijn moederschap heel goed om. In het prille begin was er onze leraar zedenleer die ons steunde. Tegen hem hebben we het ook als eerste gezegd. Hij heeft ons op weg geholpen en gezegd wat we zeker moesten doen. Ik volgde een sociale richting, dus ik voelde me op dat vlak gesteund. Mijn leerkrachten hebben ook weleens advies gegeven. Net voor ik weer naar school ging, ben ik met mijn pedagoog gaan praten. Die heeft een regeling uitgewerkt omtrent mijn stage. We hebben niet veel rotopmerkingen naar ons hoofd gekregen. Er is enkel één leerling geweest die Hendrik een pedofiel noemde. Maar dat kunnen we gelukkig weglachen. Voor de rest steunden mijn vrienden ons. Hendriks vrienden waren minder betrokken, maar die van mij zijn heel betrokken geweest. Die hebben heel veel geholpen en gesteund. Zij zeiden me meteen: 'Je zult dat kunnen.' Als ik een schouder nodig had om op uit te huilen, dan waren ze er ook altijd. En ook mijn nieuwe leerkrachten op de hogeschool zijn heel betrokken en vragen ook weleens naar Xavier of zetten hun deur open: 'Als er iets niet gaat, kom dan babbelen.'

Aangezien de gemiddelde leeftijd van een tienermoeder 18,5 jaar is, zijn er ook vele tienermoeders die niet meer leerplichtig zijn. Zij hebben andere alternatieven en kunnen gaan werken.

Wanneer zij toch nog verder studeren, hebben ze vaak iets meer vrijheid en flexibiliteit om hun studies aan hun eigen, veranderde ritme aan te passen na de komst van hun kind. Zo vertelt Anne dat niet alleen haar jaargenoten positief reageerden, maar dat ook de hogeschool veel gedaan heeft om de voortzetting van haar studies zo goed mogelijk te ondersteunen. *In de klas werd ik tijdens mijn zwangerschap goed onthaald. Mijn klasgenoten bijvoorbeeld, die wilden altijd mijn echografieën zien en altijd voelen aan mijn buik. Ze wilden dan naast mij zitten en dan legden ze hun hand op mijn buik: 'Ja! Ik heb hem gevoeld!' Dat was wel grappig: veel nieuwsgierigheid – maar dan positief. Ook zijn er heel veel onbekenden die je aanspreken en vragen stellen. Maar niet op een negatieve manier of zo, gewoon uit nieuwsgierigheid. Ik kreeg ook veel steun van de school zelf, heel veel eigenlijk. Ik kreeg een ander statuut, wat betekent dat ik geoorloofd afwezig kon zijn en toch testen kon inhalen zonder dat ik een doktersbewijs nodig had. Daarenboven waren mijn docenten enorm flexibel. Ik mocht eigenlijk alles draaien en keren zoals ik wou. Dat was wel heel aangenaam, want ik had die flexibiliteit toen wel nodig. De school heeft mij zelfs financieel gesteund, want studenten met moeilijkheden kunnen een kleine uitkering krijgen. Hierdoor kon ik mijn studies voortzetten, zonder een jaar opnieuw te moeten doen. Ik kon mijn studies namelijk spreiden en minder vakken doen.* Toch heeft Anne haar opleiding niet afgemaakt, maar dat werd niet veroorzaakt door een gebrek aan steun. Hoewel ze veel geleerd heeft tijdens dat eerste jaar aan de hogeschool, merkte ze ook dat het werknemerschap niets voor haar was. *Het begon erop te lijken dat ik niet zo geschikt was om in dienst te zijn van een werkgever. Ik paste alles aan mijn eigen waarden en normen aan. Als wij een opdracht kregen, dan ging ik niet gewoon die opdracht maken, ik ging eerder denken: Waarom moeten we dat zo doen? Ik weet een veel betere manier. En dan deed ik het zoals ik dacht dat het het beste was.* Ze kwam pas tot bloei als manager van een minionderneming, waardoor ze besefte dat ze als zelfstandige haar weg beter zou kunnen vinden. Dat probeert ze nu ook. Waarin ze zich wil vastbijten, is nog niet helemaal duidelijk, maar ze heeft nu verschillende projecten op touw gezet waar ze haar weg in zoekt.

Veel meisjes voelen zich genoodzaakt omwille van hun zwangerschap af te zien van een diploma. Toch blijken sommigen van hen erg succesvol. Misschien helpt het om de combinatie van school en ouderschap te beschouwen als een equivalent voor de verhouding tussen werk en gezin waar elke volwassene mee te maken heeft. Zo vat Aya de combinatie school en ouderschap kort en bondig samen: *'s Morgens zet ik Cliff af bij de onthaalmoeder en neem de bus. 's Avonds ga ik hem halen, net zoals een oudere werkende mama dat zou doen.* Ook Evelien ziet het zo: *Ik beschouw een kind combineren met naar school gaan eigenlijk als een kind combineren met een drukke baan.*

Wat je zelf doet, doe je beter?

Niemand mocht zeggen hoe ik iets moest aanpakken. Daar kan ik niet goed tegen. Zelfs als mijn schoonmoeder iets zei, werd ik al direct kwaad. 'Het is mijn kind dus laat mij maar doen.' Ik kan dat wel zelf beslissen. Zij had ook vaak commentaar op mijn huishouden dat achterbleef. Maar het is wel goed gekomen. Bij mijn tweede kindje was ik daar anders in, maar dan heb je je handen al vol natuurlijk. Je moet vaker zoiets zeggen als: 'Ik leg je even neer, want ik moet ook bezig zijn met de oudste.' Het was niet dat ik hem minder graag zag. Ik was wat ouder en had ook niet meer het gevoel dat ze hem wilden afpakken. Er is toen ook minder commentaar geweest. Ik had mezelf al wat meer bewezen.

EVENWICHTSOEFENING TUSSEN SCHOOL
EN TIENEROUDERSCHAP

De combinatie school en ouderschap is een evenwichtsoefening van de zwangere schoolgaande tiener in dialoog met de betrokken schooldirectie, leerkrachten en CLB of instanties op de hogeschool of universiteit. De tiener dient immers te balanceren tussen het beperken van haar afwezigheid om haar slaagkansen te vergroten enerzijds en het afwezig zijn om meer tijd door te brengen met haar kindje anderzijds. De risico's op schoolachterstand moeten steeds afgewogen worden tegen de baten die moeder en kind er emotioneel bij hebben. Duidelijkere wettelijke regels voor zwangere tienermeisjes en jonge tienermoeders zou er allicht voor zorgen dat er meer in staat zijn hun diploma te behalen. Een mogelijkheid hiertoe is de invoering van moederschapsrust en ouderschapsverlof, ook voor de schoolgaande vader die het kindje erkent. Daarnaast zou er in elke school idealiter een stappenplan voorhanden moeten zijn, zodat alle betrokkenen vooraf weten wat te doen als zij met zo'n situatie geconfronteerd worden. Dit zou voorkomen dat een leerling al te veel afhankelijk is van de goodwill van de betrokken school. Tegelijkertijd zullen we nooit bereiken dat alle tienermoeders een diploma halen. Want de school vroegtijdig verlaten is niet altijd een gevolg van de zwangerschap; de zwangerschap kan ook een gevolg zijn van schoolmoeheid en een demotivatie om een diploma te behalen. Wanneer een tiener geen toekomstperspectieven ziet en niet gelooft dat zij een goede job met een goed salaris zal vinden, is ze al minder gemotiveerd om naar school te gaan en kan het jonge moederschap een uitweg bieden. Of ze kan er ten slotte voor kiezen om thuis te blijven en voor haar jonge gezin te zorgen.

'Niemand mocht zeggen hoe ik iets moest aanpakken', daarmee geeft Amy uitdrukking aan het eergevoel van vele tienermoeders. Vaak hebben zij het gevoel bekeken te worden als minder goede moeders en willen ze zich liefst van hun competentste kant tonen. Wanneer ze zich in hun eer aangetast voelen, reageren ze defensief. Ze aanvaarden of vragen dan ook niet gemakkelijk hulp van familie, vrienden of professionele hulpverleners. Als tienermoeder heb je ook de zorg voor je eigen huishouden en geldzaken te dragen en moet je allerlei dingen regelen, zoals een woning en een inkomen. Er zijn dan ook zeker momenten waarop je praktische of emotionele steun van vrienden of professionals gebruiken kunt. Marie en Carlo deden voornamelijk een beroep op ondersteunende diensten in de begeleiding van hun zoon, maar van alle contacten is vooral hun vroedvrouw een goede vriendin geworden. *Zij heeft Lennert op de wereld helpen zetten. Toen ze de dag na de bevalling de kamer binnenstapte, zei ik: 'De kwaaie komt binnen', omdat ze me een paar keer pijn gedaan had. Ze had verschillende keren opnieuw moeten steken toen ik een sonde kreeg. En nu zijn we goede vriendinnen. Ze volgt ook alles op van Lennert. Ik heb een jaar borstvoeding gegeven en ze heeft er altijd voor gezorgd dat alles goed ging. Bij het minste dat er is, bel ik haar op, want zij moet alles weten. Gisteren belde ik haar bijvoorbeeld om te zeggen dat we een huis gevonden hebben. Ik ben blij dat ik haar heb, want ik heb voor de rest niemand. Bij haar kan ik echt mijn hart eens luchten als ik het moeilijk heb. Ze komt ook langs buiten haar werkuren. Ook Carlo beaamt: Ze durft soms naar mij bellen en vraagt dan: 'Ben je alleen?' en dan: 'Zeg, ik heb gehoord dat...' en dan spreekt ze me moed in.*

Je kunt ook steun ervaren door in contact te komen met andere jonge moeders die het allemaal zelf hebben meegemaakt. Roos nam al eerder een aantal keren deel aan de Jong en

Moeder-weekends van het cRZ, waar ze andere zwangere tieners en tienermoeders ontmoette. *Ik ben vier keer mee geweest op het Jong & Moeder-weekend. De eerste keer leerde ik veel nieuwe mensen kennen en later wilde ik elke keer opnieuw mee. Het was gewoon tof en ik leerde er veel. Ik vond dat wel speciaal om zo eens onder mensen te zijn die allemaal ongeveer hetzelfde hadden meegemaakt. Ik heb nog altijd contact met mensen die ik toen ontmoette, via internet en via de meetings en uitstapjes die andere tienermoeders organiseren. Er is ook een keertje iemand mee geweest die niet zo ver bij mij vandaan woont en die zie ik af en toe; binnenkort ga ik trouwens bij haar op bezoek want ze is opnieuw zwanger. Ik heb intussen wel meer vriendinnen die ook tienermama zijn. Ik leerde hen kennen als klasgenoten. Nu zien we elkaar wat vaker dan vroeger, we spreken dan af samen met de kindjes. Er is ook een buurvrouw van circa twintig jaar die pas mama geworden is. Ze spreekt Engels, maar gaat Nederlands leren omdat haar vriend een Belg is. Ik ben blij voor haar dat ze nu iemand heeft zoals ik, die ook jong mama werd, omdat ze hier nog niet veel mensen kent.* Op die manier probeert Roos iets te betekenen voor andere tieners, zoals andere mama's voor haar iets betekend hebben. Ook Amy was op zoek naar lotgenotencontact. Dan ging ze naar een Inloopteam, een Integraal Laagdrempelig Opvoedingsondersteuningspunt, dat kansarme en kwetsbare ouders met kinderen tot drie jaar ondersteunt, individueel of in een groep. *Ik ben niet iemand die altijd uitleg vraagt. Ik zoek liever zelf uit wat ik wil weten. Ik ben wel op eigen initiatief bij het Inloopteam langs geweest, voornamelijk om andere mensen te leren kennen. Daar was een tienermoedergroep met zwangere jonge moeders. Dat is wel wat tegengevallen, omdat de meeste tienermoeders in de groep nog te 'tienerig' waren. Veel van de moeders verbleven ook in een Centrum voor Integrale Gezinszorg, waar ze onder toezicht van de jeugdrechter moesten verblijven. En zij kregen ook extra begeleiding in*

het inloopteam. Het was een praatgroep, maar het gaf ook de mogelijk-
heid om probleemgevallen een beetje in het oog te houden. Ze konden
dan waarschijnlijk ook doorverwijzen bij problemen. Ik voelde me daar
niet echt op mijn plaats. Aangezien meisjes tot 21 jaar beschouwd wor-
den als tienermoeders, zaten er ook een paar meisjes tussen van 20 jaar.
Met hen kon ik het beter vinden. Maar ik kon er vooral terecht bij mijn
begeleidster. Zij heeft me heel goed geholpen. Daar kan ik mijn kinde-
ren mee naartoe nemen, want ze hebben daar een heuse speelhoek. De
groep werkt meestal rond een opvoedkundig thema, maar er wordt over
van alles gebabbeld, over wat de mensen die deelnemen op dat moment
bezighoudt. Het is meestal wel erg gezellig, met koffie en een koekje er-
bij. Ik heb daar zelf veel aan: het doet deugd te kunnen babbelen. En zo
kom ik ook nog eens onder de mensen. Dit klinkt wat tegenstrijdig
en Amy is niet duidelijk over of ze het nu wel of niet zinvol vindt
om naar het inloopteam te gaan, althans wat het lotgenotencontact betreft. Op die manier weerspiegelt zij de ambivalentie die
bij vele jongeren leeft: enerzijds willen ze geen hulp omdat ze willen bewijzen dat ze alles onder controle hebben, maar anderzijds
zijn ze toch op zoek naar een soort spiegel.

Aangezien de situatie van elke tiener uniek is, is het niet eenvoudig om het lotgenotencontact af te stemmen op de verschillende voorkeuren, wensen en situaties. Toch is het cruciaal dat er
verschillende mogelijkheden bestaan voor dit soort contact, zodat zwangere tieners en tienerouders hopelijk een ongedwongen
vorm van contact vinden waar zij zich het best bij voelen. Soms
ervaart een jongere meer noden en doet zij een beroep op professionele ambulante begeleiding, of is zij noodgedwongen op
zoek naar residentiële opvang omdat ze nergens in haar familie
of vriendenkring terecht lijkt te kunnen. Sarila, bijvoorbeeld, is
zó dolverliefd op haar vriendje dat ze als reactie op de afwijzende

houding van haar ouders de benen neemt en bij hem intrekt. Ze is in de wolken wanneer haar schoonmoeder haar vraagt of ze geen kind wil. Beiden zien het al voor zich: Sarila droomt van een gelukkig gezinnetje met haar droomprins en ook zijn moeder hoopt dat hij zijn leven zal beteren wanneer hij de verantwoordelijkheid voor een gezin krijgt. Samen krijgen ze een zoon en Sarila wordt opnieuw zwanger, maar haar droom komt niet uit. Ze voelt zich heen en weer geslingerd tussen verwarde gedachten en gevoelens ten aanzien van haar partner. Er is sprake van partnergeweld en daardoor onderhield zij een 'knipperlichtrelatie' met haar vriend. Doordat ze met haar broer in Turkije bij haar grootmoeder heeft gewoond, beseft ze hoe belangrijk bloedbanden zijn en daarom wil ze niet één maar twee kinderen van hem – hoe onstabiel hun relatie ook is. Nu eens woont ze bij haar vriend, dan bij haar schoonfamilie. Ze verblijft in crisisopvang en vrouwenopvang tot zij uiteindelijk in een Centrum voor Integrale Gezinszorg terechtkomt – wat voor haar een zegen blijkt. *Ik was zo blij dat ik daarheen mocht! Tijdens mijn intakegesprek zei ik dat ik maar twee weken zou blijven, maar uiteindelijk ben ik hier al tien maanden en ben ik ook bevallen van mijn tweede kindje. De begeleiding raadde me aan om opnieuw contact te zoeken met de vader. Ze zeiden dat ze dat altijd probeerden omdat een kind zijn vader nodig heeft, maar mijn kind heeft geen vader nodig. Mijn ouders zeggen nog altijd: 'Geef die twee kinderen aan hun vader en kom terug naar huis', maar dat kan ik niet. Ik heb met niemand van mijn familie in België nog contact, ook niet met mijn broer, omdat hij bij mijn ouders woont en moet luisteren naar wat mijn vader zegt. Mijn familie in Turkije wil geen contact meer met me, die zeggen dat ik het leven van mijn moeder kapot heb gemaakt. Ik heb gekozen voor mijn kinderen, mijn ex niet. Hij heeft nog wel contact opgenomen voor de verjaardag van Faris, maar toen heeft hij me uitgescholden*

voor slechte moeder die zijn kind heeft gepikt. Ik heb dat gewoon gene-
geerd. Ik weet nu wie ik ben en wat ik doe voor mijn kinderen. In het be-
gin was het heel zwaar en ik was bang dat de jeugdrechter mijn kinderen
zou afpakken. Soms zeg ik weleens voor de grap: 'Wil jij mijn kinderen
adopteren? Je mag ze gratis meenemen.' Maar eigenlijk kan ik ze niet
eens delen met hun vader. Adoptie en pleegzorg vinden ze in het CIG *oké,*
maar ik ben daar helemaal tegen. Ik heb ook al tegen de begeleiding ge-
zegd dat als ze mijn kinderen afpakken, dat ik er dan niet meer wil zijn.
Het zijn deze kinderen die me op de rails hebben gezet. Daarvoor had ik
altijd ruzie met mijn ouders, mijn ex... en het was nooit goed. Ik had veel
problemen en was heel gesloten, maar toen ik bevallen ben, ben ik als
een bloem opengebloeid. Ik ga me nooit meer laten doen door anderen.

Het CIG biedt Sarila de mogelijkheid om in een rustige omgeving
te groeien in haar moederrol, de hele situatie met haar vriend en
ouders van een afstand te bekijken en te zorgen voor haar kindjes.

En dan ben je plots grootouder

Voor de meeste jonge ouders blijft het eigen gezin natuurlijk de
basis. Daar kunnen ze op terugvallen. Gelukkig kunnen heel wat
tienerouders rekenen op de steun van hun familie. Maar de situatie zal nooit meer dezelfde zijn: nu de tiener ouder is geworden
en de ouder grootouder, moeten zij zoeken naar een nieuw evenwicht. De banden kunnen aangehaald of juist verbroken worden;
soms gaan tienerouders weer thuis wonen, of ze verlaten juist het
nest. De relatie krijgt alleszins een nieuwe betekenis. Door de tegenovergestelde meningen omtrent haar beslissing bekoelt de
relatie tussen Amy en haar vader en stiefmoeder enigszins. Haar
moeder stond wel onmiddellijk achter haar keuze, maar die kon
het door druk van de rest van de familie niet tonen. Hoewel de
boosheid wel afgenomen is, heeft dit gevolgen gehad voor hun

onderlinge relatie en die met hun kleinkind. *Ik heb een tijdje geen contact gehad met mijn ouders. Met hen heb ik eigenlijk nooit een echte ouder-dochterband gehad. Ik heb een zware jeugd gehad, maar we kunnen het nu wel met elkaar vinden. Met mijn moeder heb ik nu veel contact en met mijn vader gaat dat in periodes. Het is voor mij eigenlijk alsof zij meer vrienden zijn dan ouders. Zij nemen de grootouderrol niet zo serieus.* Amy weet dat als er echt iets ernstigs is, ze op haar vader kan rekenen. Maar veel contact is er niet. Sporadisch zoekt Amy hem op. Bij haar moeder gaat ze wel wekelijks langs. *Voor mij was de overgang van kind-zijn naar moeder-zijn eigenlijk niet zo moeilijk. Ik moest eigenlijk al wat meer voor mijn ouders zorgen dan zij voor mij zorgden. Ik sliep ook al nooit meer thuis. Het was nu ook weer niet dat ik intensief voor hen moest zorgen, maar zij deden dat ook niet meer voor mij.* Tot een echte breuk komt het niet tussen Amy en haar ouders, maar vanzelfsprekend kan de relatie ook niet genoemd worden.

Bij Ellen brengt het nieuwe leven haar een stapje dichter bij haar eigen ouders, ondanks de eerdere spanningen tijdens haar zwangerschap – waardoor haar moeder zelfs in een depressie belandde. Langzaam maar zeker groeit de aanvaarding en wanneer Cédric geboren wordt, vergeet haar moeder alles wat er daarvoor gebeurde. *Mijn moeder was meteen zot van onze Cédric. Het was precies of het haar kind was; ze werd 's nachts zelfs ook wakker als hij honger had. Dan moest ik dikwijls zeggen:'Moeder, dat is die van mij.' Ze ontfermde zich ook vaak over hem, paste op hem als ik ging werken.* Niet dat moeder en dochter beste vriendinnen geworden zijn, maar het is goed zo. *Ik heb nooit een sterke band met mijn moeder gehad. Meisjes die nog een hele tijd thuis blijven wonen, tot ze 23 of 24 zijn, zullen wel een betere band hebben met hun moeder. Ik ben eigenlijk weggegaan op een moment dat ik nog een moeilijke puber was en heb dus nooit zo'n diepe band kunnen opbouwen met haar. Nu kan ik nog* niet echt zeggen dat wij vriendinnen zijn. Met mijn moeder samen gaan winkelen en dergelijke, dat doe ik nooit. Maar we zien elkaar wel geregeld, kunnen het goed vinden en de kleintjes gaan wekelijks naar haar. Ook mijn vader is best trots, zo van: Je mag fier zijn op wat jullie bereikt hebben, want het had evengoed slecht kunnen aflopen. Die erkenning doet deugd. Regelmatig komt in de interviews immers naar voren hoe belangrijk en ondersteunend erkenning is voor een tienermoeder, zeker wanneer het dierbaren betreft.

In het geval van Roos werd de band met haar moeder versterkt toen ze zelf een kind kreeg. Mijn mama vertelt nu meer van zichzelf aan mij, zo'n beetje als twee mama's onder elkaar. Maar nu heeft ze het ook over andere dingen waar ze vroeger nooit over zou spreken, zoals hoe het voor haar was vroeger om met het gerecht in aanraking te komen bij haar echtscheiding, over het hoederecht van mijn broers. Nu ikzelf daarmee te maken krijg, gaat ze ook altijd mee en helpt me met de manier waarop ik dat moet aanpakken. Ik kan ook bij haar terecht met vragen. Zij is ook wel de enige die er altijd voor me is. Soms maken we weleens ruzie, maar ik denk dat dat normaal is. En ook voor praktische dingen kan Roos bij haar moeder terecht, hoewel ze er op staat om zoveel mogelijk zelf te doen. Soms stond ons mama weleens op, maar meestal deed ik dat zelf. Nu Bjorn wat groter is, is dat nog altijd zo. Behalve als ik zijn kleren niet mag aandoen, dan wil hij per se dat ons mama dat doet. Dan helpt ze wel, anders krijg ik hem niet op tijd klaar voor school. Voor de administratie kan ik ook op mama's hulp rekenen. Soms past mijn mama ook op hem als ik weg moet, maar ik probeer dat door de week niet te vaak te vragen, want zij werkt ook nog. Financieel springt zij ook soms bij, want dat is wel moeilijk.

Het zijn dus blijkbaar vooral de moeders van tienermoeders die hun dochter steunen. Dat doen zij als grootmoeder en moeder.

Niet altijd een makkelijk te combineren rol, zo blijkt uit de verhalen van Marianne en Linda. Af en toe een kleinkind opvangen zoals andere grootmoeders doen, is nu eenmaal niet hetzelfde als het dagelijks mee-opvoeden als je dochter bij je inwoont met haar kind. Een van de gevolgen van Linda's verlangen dat Lien haar kind zou houden, is dat zij haar dochter vanzelfsprekend helpt om haar jeugdige leven zo veel mogelijk te behouden. Het is haast een belofte die ze doet ten aanzien van Lien. En ze houdt woord. Ze geniet ook van het grootouderschap. *Lien is bij ons blijven wonen tot vier jaar geleden. Lucas was drieënhalf toen zij bij Liens vriend gingen wonen. Lucas bleef hier naar school gaan. Nu heeft Lien ook een appartement gekocht. Ze zullen een eind verder weg wonen, maar ze brengt hem dan 's morgens hier en ik breng hem dan naar school. Als Jo een vroege dienst heeft, haalt hij Lucas dinsdags en donderdags van school. Anders doet moeke Greta dat en dan blijft hij hier en maakt intussen zijn huiswerk, totdat Lien hem 's avonds komt ophalen.* Het lijkt niet onlogisch dat zulke ingrijpende veranderingen in het gezin ook invloed hebben op de relatie tussen moeder en dochter, maar Linda heeft daar niets van gemerkt. *Mijn relatie met mijn dochter is eigenlijk niet veranderd op het moment dat zij zelf mama is geworden. Zij hoorde op een keer dat Lucas riep: 'Moeke, moeke!' en reageerde met: 'Jij kunt al even goed achter mijn moeke roepen, zoals ik dat altijd al gedaan heb.' Ze beseft dat toch wel. Ze zeggen dat oma er alleen maar is om de kindjes te verwennen, maar daarop zeg ik dat mijn kleinzoon ook luisteren moet. Je wilt hem graag verwennen, maar eigenlijk mag dat niet, omdat ik hem mee-opvoed en zijn karakter help vormen. Grenzen stellen was belangrijk in zijn peuter- en kleutertijd. Gelukkig is onze Lucas rustig van karakter en hebben we er weinig last mee gehad.* Maar het jonge grootouderschap heeft ook voordelen. *Het leuke aan jong oma zijn is dat je nog meekan. Tegelijk merk ik nu ook dat ik* soms moet toegeven dat iets niet meer gaat. *Mijn schoonmoeder wordt er nu 94, zij heeft nooit met de kinderen kunnen spelen zoals mijn moeder die nu 76 is. Ik vind eigenlijk niets moeilijk aan jong oma zijn, maar ik had nooit gedacht dat ik het zou worden omdat iedereen tegenwoordig de zwangerschap uitstelt. Ik dacht rond mijn 56ste oma te worden, maar het was tien jaar vroeger.* Maar Linda heeft er geen bezwaren tegen. Voor Lucas zelf is het allemaal prima en niet verwarrend, zoals buitenstaanders misschien zouden verwachten; hij schijnt geen problemen te hebben met het feit dat hij op meerdere plaatsen thuis is. *In de eerste klas hadden ze godsdienstles en moesten ze hun huis tekenen. Hij zat naar zijn blad te staren en de juffrouw vroeg wat er was. 'Dat gaat niet', zei hij. 'Hoezo, dat gaat niet?' 'Kijk nu dat papier, dat vakje, hoe kan ik daar nu mijn vier huizen in krijgen?' De juf vroeg: 'Hoe kom jij aan vier huizen?' 'Bij ons mama, bij moeke Linda, bij moeke Greta en bij vake Luc.' Ondertussen is zijn tante Nele het huis uit en heeft hij vijf huizen. En hij wil overal zijn.*

Marianne vond het vreemd om op haar leeftijd al met 'oma' te worden aangesproken. Tegelijkertijd zorgt het feit dat ze zelf nog jonge kinderen heeft ervoor dat ze makkelijk een extra kind weet te aanvaarden in haar gezin. *In het begin wilde ik niet 'oma' genoemd worden, dat klinkt zo oud, terwijl ik 42 ben. Mijn jongste is acht en dan komt daar zo'n spruit bij. Ik heb soms de neiging om te zeggen: 'Ik neem het er gewoon wel bij.' Als mijn kleindochter 'mama' roept, moet ik zelf ook even nadenken: Ja, ah neen, wacht, 't is oma... Op wiens schoot zit ze meestal? Op de mijne... We wonen natuurlijk samen, dat maakt een verschil. Het is hier net een commune.* 'Het erbij nemen' is echter veel meer dan louter aanvaarden dat jouw kind een kind heeft en ervoor zorgen. Het betekent immers ook een concrete verplichting om enkele praktische taken over te nemen en je dochter zo goed en zo kwaad als het gaat te ondersteunen.

Sommige grootouders willen om hun kind te beschermen de volledige zorg overnemen, wat op den duur belastend wordt en voor spanningen kan zorgen. Andere grootouders zullen meer voor hun eigen leven kiezen, met het risico dat ze hun eigen kind in de kou laten staan en meer verantwoordelijkheid bij haar leggen dan ze aankan. Het is niet eenvoudig om meteen de juiste balans te vinden. Het is wenselijk dat grootouders en tienerouders een solide basis hebben, goed met elkaar kunnen communiceren en tot goede afspraken kunnen komen. Ze moeten ook oog hebben voor de verschuivingen in verantwoordelijkheid en zorg die samengaat met de groei en ontwikkeling van de baby en de ontwikkeling van de tiener tot volwassene.

Als hun dochter zwanger blijkt te zijn en zij kiest voor het moederschap, dan plaatst dit de aankomende grootouders ook voor de vraag: Hoe vul ik mijn verantwoordelijkheid tegenover mijn dochter en mijn kleinkind in? Ook de ouders van de jonge vader stellen zichzelf die vraag: Kunnen en moeten wij iets betekenen voor ons kleinkind? In veel gevallen zal de grootouder zijn kind bijstaan met raad en daad waardoor de tiener zich gesteund voelt in de zorg voor haar of zijn kind. De zwangerschap en het ouderschap van een kind kan een sterk bindende factor zijn. Samen zorgen voor de baby kan leiden tot een meer volwassen omgang met de dochter of zoon.

Ook als ze beslissen om grootouder te zijn voor hun kleinkind, hoeft dit niet te betekenen dat ze zich onmiddellijk verheugen op deze taak. Vaak verkeren ze nog in een toestand van ongeloof en ontkenning. Het gevoel echt grootouder te zijn, komt bij de meesten wanneer ze voor het eerst alleen zijn met hun kleinkind. Bovendien zijn ouders die jong grootouder worden, vaak nog werkende mensen, die zorg dragen voor hun kinderen en soms ook nog voor hun eigen ouders. De bijkomende zorg voor een kleinkind kan een zéér plezierige taak zijn, maar kan ook als een belasting worden ervaren. Het kan ertoe leiden dat de natuurlijke verhoudingen tussen ouders en kinderen doorkruist worden: wie voor wie zorgt en verantwoordelijkheid heeft, wordt onduidelijk.

Grootouders worden vaak ingeschakeld als opvang voor de kinderen tijdens de school- of werkuren van de tienerouders. Daardoor worden zij mede-opvoeder van hun kleinkind. Om hun tienerdochter of -zoon niet het gevoel te geven van 'bemoeienis' – waar tieners doorgaans bijzonder gevoelig voor zijn – is dit een evenwichtsoefening tussen eigen (opvoedings)waarden en normen en die van hun kinderen. Kansen geven aan hun kind om haar of zijn ouderrol op zich te nemen en hierover goede afspraken maken is een proces van vallen en opstaan. Het is niet verwonderlijk dat er meningsverschillen opduiken over hoe verantwoordelijkheden en zorg moeten worden ingevuld of over bepaalde opvoedingsprincipes (bijvoorbeeld hoe je probleemgedrag aanpakt). Deze onenigheden spelen nog acuter wanneer de jongeren bij de ouders inwonen. Ruimte voor de biologische vader en/of de eventuele nieuwe partner wordt dan schaars, terwijl die ook van belang is voor het kind. Verwachtingen vooraf afstemmen kan frustraties voorkomen. Ouders en grootouders kunnen samen groeien in hun opvoedkundige rol, om er dan ook samen van te gaan genieten.

Ook de andere kinderen in het gezin mogen niet vergeten worden. Die broers of zussen van de zwangere tiener of tienerouder maken de zwangerschap van hun (schoon)zus onrechtstreeks mee en merken meestal wel dat hun ouders extra prikkelbaar of afwezig zijn en reageren daar, afhankelijk van hun leeftijd, verschillend op.

'Brussen', broers en zussen van tienerouders, ondervinden de gevolgen van nieuw leven in huis. Ook zij dienen zich aan te passen zonder dat zij ervoor kunnen kiezen. Hoewel Hannelore meteen verliefd is op haar nichtje en blij is dat haar zus weer thuis kwam wonen, ondervindt Hannelore aan den lijve de gevolgen. *Je moet stiller zijn als de baby slaapt, 's avonds de tv zachter zetten. Ik had meestal muziek aan staan tijdens het douchen, nu niet meer. Nu ze wat ouder wordt, eist ze de tv soms op met een kinderprogramma en dan ben je haast verplicht daar ook naar te kijken. En dat is soms wel vervelend, ja. Soms wil je even tot rust komen, maar met een tweejarige peuter kan dat niet. Eigenlijk mis ik dat wel, want ik was de enige die nog thuis woonde. Ik had het me hier dan zo wat gemakkelijk gemaakt. En dan is daar ineens Luna. Dan voel je wel dat je minder tot rust kunt komen. Qua spullen is hier vrij veel van Luna: een eetstoel, speelgoed... Gisteren, bijvoorbeeld, toen ik thuiskwam, kon ik niet naar binnen; ze had al haar speelgoed in het halletje gezet. Eigenlijk is het hier vrij klein, er is hier nooit zo veel plaats geweest. Boven zijn er wel voldoende kamers. Luna heeft haar eigen kamer en ik heb de mijne mogen houden. Wat ik ook jammer vind, is dat we nu niets spontaans meer kunnen doen, zoals zeggen: 'Kom, we gaan iets drinken in de stad.' Dat gaat niet zomaar, er moet dan eerst van alles voor Luna geregeld worden.* Maar Hannelore springt ook in waar nodig. *Als babysit ondersteun ik mijn zus zeer zeker. Ik doe dat wel graag. Niet altijd even graag, soms had ik liever wat anders gedaan. Maar als ik mijn zus daarmee kan helpen, dan doe ik dat, zeker nu ze gaat werken. Ze werkt niet voltijds, maar op zaterdag werkt ze bijvoorbeeld van zes tot zes. Om mijn mama dan een beetje te ontlasten help ik graag en zie ik dat babysitten niet als een opgave, maar als steun voor mijn mama.* Dat haar moeder haar aandacht verdeelt over haar twee dochters en haar kleindochter, vindt Hannelore geen probleem. Ze voelt dat ze nog altijd bij haar terechtkan.

Bovendien ervaart ze hoe zo'n kind de familie ook dichter bij elkaar brengt: je doet meer dingen samen, je hebt meer aandacht voor het gezin enzovoort.

Pleegouderschap = gedeeld ouderschap

Een beroep kunnen doen op een sociaal netwerk, al dan niet de grootouders, is zeer belangrijk. Het is je opvangnet voor als het even moeilijker loopt, maar ook om leuke kanten van het ouderschap mee te delen. Sociaal geïsoleerde jongeren blijken het meest kwetsbaar en als zij niet goed in hun vel zitten, dan wordt zorg dragen voor een kind extra zwaar. Zeker als je geen partner hebt om op terug te vallen, kan het weleens te veel worden. Anne vertelt over haar ervaringen als alleenstaande jonge moeder. *Het eerste anderhalf jaar heb ik helemaal alleen voor hem gezorgd, maar achteraf bekeken had ik een veel te gejaagd leven. Ik ging naar school en heb negen maanden borstvoeding gegeven. Eigen vervoer had ik niet, dus ik nam de bus, maar was heel lang onderweg. Uitgaan was er niet meer bij. Als ik 's avonds uit school kwam, had ik Bas bij me en moest ik het huishouden doen. Als hij eindelijk zijn laatste voeding had gehad en in slaap viel, moest ik nog aan mijn schoolwerk beginnen. Toen ik borstvoeding gaf, stond ik vaak 's morgens om vijf uur, halfzes op; ik had enorm weinig slaap. Mijn borstvoeding is ook stilgevallen door de stress en door het slaaptekort. Van mijn ouders kreeg ik een budget van 200 euro per maand en daarmee moest ik toekomen voor Bas en mezelf, voor alles. Dat is heel weinig. Ik had er niet genoeg aan en maakte schulden bij vrienden en bij mijn ouders. Het appartementje dat ik van mijn ouders kreeg, was een heel donker kot en daar word je niet vrolijk van en ook Bas was er niet gelukkig. Wat ik ook deed, Bas huilde enorm veel. En ik voelde mij daarover echt heel schuldig. Ik wilde dat hij zou lachen.* De liefde voor haar zoon is zo groot en haar bezorgdheid zo diepgeworteld, dat Anne zelfs bereid is om Bas te delen met anderen als hij daardoor gelukkiger zou worden. *Daarom heb ik uit eigen initiatief de pleeggezinnendienst gecontacteerd. Ik legde mijn situatie uit en zij begrepen die. Zelf dacht ik aan een oplossing zoals een pleeggezin waar Bas vier dagen in de week kon zijn, zodat ik hem die andere dagen nog altijd bij mij had. Gedurende vier dagen zou hij dan ook een rustige stabiele omgeving hebben. Ik dacht dat hij daar nood aan had.* Uitiendelijk zijn het toch haar ouders die dit pleegouderschap op zich nemen – wat een andere manier is om het grootouderschap in te vullen. *In de zoektocht naar een geschikt pleeggezin – want het is niet zo dat dat zomaar meteen gevonden wordt – hebben mijn ouders uiteindelijk gezegd: 'Wij willen dat wel doen.'* Gezien hun eerste reactie op de zwangerschap is dit een hele omwenteling in de relatie tussen Anne en haar ouders. In eerste instantie was haar moeder immers heel boos en in shock; later verbouwden ze een deel van hun woning tot een appartement, omdat ze uitdrukkelijk wilden dat Anne op eigen benen zou staan met Bas. Nu ze merken dat Anne echt haar best doet, willen ze wel bijspringen... en hoe! *Dat mijn ouders pleegouders werden, is geleidelijk gegaan. Het eerste jaar stond ik er fulltime alleen voor en na dat jaar was ik echt óp. Ik had een heel jaar geen sociaal contact meer gehad, terwijl ik daar wel nood aan had. Op het moment dat ik weer uitging, pasten mijn ouders vaker op hem. Verder ging ik regelmatig 's avonds bij hen eten, samen met Bas. Zodoende kregen we geleidelijk meer contact tot zij besloten pleegouder te worden. Vanaf dat moment kon ik echter niet meer naast hen blijven wonen, omdat Bas dat niet begrijpen zou. Ik had enorm veel werk voor school en ook mijn activiteiten, zodoende was ik er wel, maar niet 'beschikbaar' voor hem en dat kun je niet uitleggen aan zo'n klein kindje. Hij wilde dan bij mij zijn, maar als mijn mama dat weigerde, was hij boos op haar. Daarom besloten mijn ouders en ik dat het beter was als ik verhuisde. Dat was een goede beslissing, want als ik er was, kon ik er echt voor hem zijn. En voor de rest was ik er gewoon niet, wat minder verwarrend voor hem bleek. Toen hij eenmaal echt bij mijn ouders woonde, is hij ook helemaal opengebloeid en kreeg hij meer zelfvertrouwen. Nu is hij een heel vrolijk manneke geworden, maar hij blijft ook wel enorm aan mij hangen. Nu woont Bas bij hen en ik heb hem minimaal twee dagen in de week. Ik heb twee vaste dagen en als mijn ouders iets doen, dan ben ik de eerste babysit. Bijvoorbeeld als mijn ouders op reis gaan, komt hij een weekje bij mij wonen. In principe ga ik hem woensdag halen als hij van school komt en ook zondag overdag. Hij komt graag mee naar mijn huis, maar ook dat doe ik niet zo vaak. Hij wil hier altijd wel komen, maar hoewel hij het niet beseft, heeft hij hier minder plezier. Er is een speeltuintje in de buurt, maar er is een veel mooiere en grotere speeltuin met een wandelbos in een park vlak bij mijn ouders – en hij wandelt heel graag. Hij heeft hier maar één bak speelgoed en ik sta er dan zelf niet voor te springen om hem mee te brengen, want een kleine die zich verveelt, is geen plezante kleine. Maar het begint wel te kriebelen: ik zou hem graag weer alleen opvoeden. Hij wil dat zelf ook graag. Hij vraagt ook vaak: 'Blijf je slapen?' Ik blijf niet zo heel vaak slapen bij mijn ouders, omdat ik daar met mijn duimen zit te draaien als hij in bed ligt. Dan sta ik enkel op om hem aan te kleden en eten te geven en dan gaat hij naar school. Voor mij is dat een kort momentje, maar hij vindt dat wel tof, dus dat doe ik af en toe voor hem.*

Kiezen voor een pleeggezin betekent dat je wat afstand neemt van je kind. Geen eenvoudige opdracht voor een moeder, maar Anne stelt het geluk van haar kindje voorop. *Veel mensen denken dat het moeilijk moet zijn voor mij als mama, maar eigenlijk voel ik me er veel beter bij want ik zie hem veel liever lachen. Bovendien hebben veel mensen me erg aangekeken op het feit dat Bas bij mijn ouders ging wonen en dat zij pleegouders werden, zo van: jij bent geen goeie moeder, jij wil van je kind af.* Net daarom vindt Tess, Annes hartsvriendin, het ook moeilijk dat Anne voor pleegouderschap gekozen heeft. Ze voorzag namelijk dat mensen zouden denken dat Anne zich er makkelijk wil van af maken. *Ik vond dat dan ook moeilijk om te aanvaarden. Je hebt al die weg afgelegd en nu kom je daar precies op terug. Ik had haar ook zo lang verdedigd, we waren echt bondgenoten, maar op dit vlak was ik het niet met haar eens. Ik vind Anne een heel goede mama. Als ik ze samen zie, Bas en Anne, dan bewonder ik haar omdat ik nog nooit zo'n goede mama gezien heb. Ik vind het alleen spijtig dat ze elkaar zo weinig zien.* Door het pleegouderschap heb ik haar wel zien *openbloeien; dan is ze pas opnieuw beginnen leven. Daarvoor leefde ze voornamelijk in functie van Bas. 'Bas dit', 'Bas dat…': niets anders dan Bas. Ze maakte moeilijke periodes door en ze zei dat het niet de fout van Bas was, maar hij zou er ook niets mee zijn als zij als een ongelukkige moeder rondliep. Ze voelde dat hij dat aanvoelde en dat wou ze niet. Ze wou zichzelf gelukkig maken, zodat ze daarna ook Bas gelukkig kon maken. Ik begreep dat volkomen,* maar de reacties van de buitenwereld op haar beslissing maakten het moeilijk. Ook Anne geeft aan dat dit precies de reden is waarom ze voor pleegouderschap koos: om Bas gelukkig te zien. *Ik kan echter niet snappen dat iemand liever zijn kind ongelukkig ziet dan gelukkig bij andere mensen. Dat vind ik juist egoïstisch. Ik voelde me veel slechter toen ik er nog alleen voor stond, omdat hij toen niet gelukkig was. Het is een routine geworden, die twee dagen per week op hem passen en hem dan weer afgeven. Veel ouders zeggen dat ze, als ze de eerste dag hun kindje naar de onthaalmoeder brengen, daar moeite mee hebben… Ik heb daar eigenlijk geen last van. Je weet toch wat ze doet. En ik ga hem toch gewoon weer halen? Dat is geen probleem. Ik heb er enkel last mee als ik eens 'mijn dag' moet missen, bijvoorbeeld omwille van vakantie van mezelf of van mijn ouders. Dan mis ik hem wel enorm. Dan bel ik hem en zeg hoe vaak hij nog moet slapen. Dat hou ik zelf dan ook bij! Elke keer als ik hem zie, ben ik enorm blij. Ik mis hem wel, maar ik weet dat hij het goed heeft. Ik weet dat hij mij ook mist, maar hij is gelukkig. Hij is vrolijk, lacht altijd, heeft veel zelfvertrouwen. Ik heb geen reden om het ergens echt moeilijk mee te hebben. Ik zie hem dan maar twee dagen in de week, maar dat zijn wel twee goeie dagen en hij heeft een vaste thuis. Hij heeft drie ouders die goed voor hem zorgen.*

Anne deelt de rol van opvoeder met haar ouders via een zogenaamde 'netwerkplaatsing', begeleid door een dienst voor gezinsondersteunende pleegzorg. In geval van gedeeld ouderschap wordt het kandidaat-pleeggezin in eerste instantie meestal gezocht binnen het netwerk van het vraaggezin. Annes ouders fungeren als 'opvanggezin' en Anne krijgt zodoende ook de kans om geleidelijk te groeien in haar moederrol. De omgeving oordeelt hier soms neerbuigend over, terwijl zo'n beslissing van een tienermoeder meestal blijk geeft van moed en inzicht in wat haar kind nodig heeft.

Pleegzorg is de tijdelijke zorg voor andermans kind. Er bestaan verschillende vormen van pleegzorg, van een weekendgezin en een opvanggezin waar een kind voor kortere (vakantie)periodes verblijft tot een pleeggezin waar het kind voor langere periodes verblijft. Pleegzorg is een zeer waardevolle vorm van co-ouderschap, die enorm steunend kan zijn voor tienerouders.

Ouders kunnen zelf hulp zoeken bij een dienst voor gezinsondersteunende pleegzorg. Bij tienerouders gebeurt dit meestal via een vertrouwenspersoon of hulpverlener. De consulente van het Comité voor Bijzondere Jeugdzorg kan in het geval van een problematische opvoedingssituatie pleegzorg voorstellen. De ouders van de tieners dienen hievoor toestemming te geven. Als de vrijwillige hulpverlening niet op gang komt of misloopt en het is dringend of nodig voor de veiligheid van het kind, kan de jeugdrechter een beslissing tot plaatsing in een pleeggezin nemen. Meestal gaat het om plaatsing van het kind van tienerouders, maar een minderjarige tienermoeder kan ook samen met haar kind tijdelijk opgevangen worden in een pleeggezin.

Niet elke tienerouder (en/of hun kind) die niet thuis of zelfstandig kan wonen, is geholpen met pleegzorg. In pleegzorg moet je je immers (opnieuw) kunnen aanpassen aan het gezinsleven en bijbehorende gewoontes en regels. Voor sommige minderjarige ouders is de druk van de gezinsrelaties en de nabijheid van andere mensen te bedreigend of te belastend, gezien hun persoonlijke geschiedenis. Het is goed dat er Centra voor Integrale Gezinszorg bestaan, maar ook zij kampen met een schrijnend plaatstekort.

Soms duurt de zoektocht naar een pleeggezin lang, of er wordt geen match gevonden; zeker kandidaat-pleegouders die bereid zijn een minderjarige ouder samen met haar kind in hun gezin op te nemen zijn dun gezaaid. Eva en Jef zijn van die witte raven die zich als volledige buitenstaanders willen ontfermen over een tienermoeder en haar kind. Op het moment dat het nieuwsamengestelde gezin van Eva werd geconfronteerd met het legenestsyndroom omdat hun zonen het huis uit gingen, begon bij Eva en Jef het idee te groeien om pleeg- of steungezin te worden. Vooral hun dochter Louise die nog thuis woonde, werd betrokken bij de uiteindelijke beslissing om een tienermoeder met haar kind voor korte periodes in huis te nemen. *Zij moest dat goed vinden, want zij moest daarmee in één huis leven en dat ligt niet voor de hand. Ze keek er erg naar uit, maar had tegelijkertijd twijfels: wat als dat nu niet klikt? We dachten er lang over na. Het is iemand met een verleden die moet passen binnen je gezin.* Wanneer ze over Esma horen, voelen ze zich aangesproken en willen ze er graag voor haar zijn. Als vluchtelinge heeft ze het immers al zwaar te verduren gehad. Na enkele asielcentra is ze terechtgekomen in een instelling die ook flats heeft voor niet-begeleide minderjarige mama's. Het opnemen van een niet-begeleide minderjarige is geen voor de hand liggende keuze, maar Eva en haar gezin rollen als het ware in de situatie. *Dat het om een niet-begeleide minderjarige vreemdelinge met een kind ging, kwam toevallig doordat een collega met dat meisje in contact gekomen was, als regioverpleegkundige bij Kind en Gezin. Ze zei: 'Dat is verschrikkelijk moeilijk: je bent zestien en komt aan in een vreemd land, je spreekt de taal niet en moet bevallen. Helemaal alleen, want je hebt geen ouders meer, dus je kunt nergens op terugvallen. Dat is wel heel veel gevraagd van zo'n jonge mama.' Ik vond het eigenlijk wel goed dat het om een niet-begeleide minderjarige ging, want je hoort weleens* verhalen van mensen met pleegkinderen die problemen krijgen met de ouders of familie van het pleegkind. Maar die had zij niet meer, dus daar zouden we ons geen zorgen over hoeven te maken. Maar er is wel altijd een verleden, daar kun je niets aan veranderen. Waar wij als gezin niet geconfronteerd werden met een problematische familie, werden we wel geconfronteerd met principes van een instelling waar we het niet altijd mee eens waren. Er wordt veel verwacht van zo'n minderjarige mama met zo'n verleden. In de instelling waar ze verblijft, woonde ze in een studio met haar baby, met beperkte begeleiding, omdat ze moest leren zelfstandig te worden. Dat begrijpen we, maar die dagen en nachten alleen met haar baby, deeltijds naar school gaan en deeltijds werken en daarom elke dag vroeg opstaan om haar kindje bij de onthaalmoeder te krijgen en dan de stad doorkruisen met het openbaar vervoer... Dat is een enorme belasting, ook voor mama's van dertig jaar. Een instelling kan nooit een gezin zijn. En we zijn ons er wel van bewust dat wij als steungezin de structuur van zo'n instelling niet kunnen veranderen. Wij dachten bijvoorbeeld dat als je in een instelling verblijft, dat er dan voor je wordt gezorgd. Maar zo is dat niet. Als je kind ziek is, moet je dat zelf oplossen; zo is er geen verbindingsdeur tussen de studio waar zij verbleef en de instelling. Toen kreeg haar kleintje 's nachts 42 graden koorts. Ze had geen beltegoed op haar gsm en toen moest zij 's nachts naar buiten om aan te bellen aan de voordeur van de instelling, maar niemand hoorde dat... Ze wist niet wat ze moest doen en was helemaal in paniek. Ze moeten zelf hun boodschappen doen, koken, met het openbaar vervoer naar de crèche en haar stageplaats... Ze kon ook niet mee met haar klas toen die voor een week weggingen om een groep te vormen, want de kleine kon niet mee en de instelling kon hem niet opvangen. Ze heeft ook haar rapport getoond van haar eerste school en daar stond: 'We zien dat jij een heel goede mama bent en ook dat jij een verstandig meisje bent, maar als jij wilt integreren, dan moet je regelmatig op school zijn.' Maar als je geen opvang hebt voor een ziek kind of je baby heeft de hele nacht gehuild en je bent moe... Daarmee had ze het moeilijk op school. Terwijl wij het juist belangrijk vinden dat zij zich zou kunnen integreren op school. Gezien deze moeilijke situatie dachten we dat wij wel een stuk ondersteuning konden bieden in haar mama-zijn. Bovendien wilden we haar de ruimte geven om zelf jong te zijn: eens weggaan en dingen doen die een zeventienjarige doet en dat is niet mama-zijn. Ik herinner me nog heel goed die eerste keer dat we haar ontmoetten hier thuis, samen met een medewerkster van de instelling en van pleegzorg. Via haar Mongoolse tolk vroegen wij: 'Wat doe jij graag?' en zij antwoordde: 'Alles wat ik graag doe, bestaat niet meer, er is alleen nog Rik.' Dat vonden wij heel erg, we hoopten haar met ons pleegouderschap wat ademruimte te kunnen geven. Het was de bedoeling om ons pleegouderschap langzaam op te bouwen met bezoekjes, dan eens een overnachting enzovoort. Initieel waren we kandidaat als steungezin, wat erop neerkwam dat zij ongeveer maandelijks een weekend bij ons zouden verblijven. Maar omdat Rik ziek werd en drie weken in het ziekenhuis lag, is de zaak in een stroomversnelling geraakt en zijn zij hier heel vaak geweest, ook in de zomer, een periode waarin je als gezin relaxter leeft. Zo leerden we elkaar in korte tijd heel goed kennen. We werden aldus een opvanggezin, een intensievere vorm van pleegzorg. We behandelden haar als een kind van ons: als Louise kleren ging kopen of ging paardrijden, mocht zij dat ook. Ze ging ook mee op vakantie met ons naar de Ardennen, we reden zelfs met twee wagens omdat er anders geen plaats was voor de kinderstoel. Tijdens deze periode ontwikkelt Eva zichzelf als ouder en grootouder; ze wil Esma dingen leren. Ze moest bijvoorbeeld leren om haar kindje in zijn eigen bedje te laten slapen en hem eens alleen te laten spelen in zijn box. Zij kon niets doen zonder haar kind en ze was doodop. We wisten dat hij alleen kon slapen en spelen, omdat hij dat deed toen zij er niet was, maar in hun cultuur is het de gewoonte om allemaal samen in een tent te slapen. Op vakantie voelde zij zich tot last omdat iedereen wakker werd door Rik. Ik zei dan: 'Kijk meisje, als jij hem in zijn eigen bedje legt en laat liggen, dan wil ik jou wel helpen.' Maar zij koos ervoor om hem bij haar in bed te leggen. Als hij dan om zes uur wakker werd, vond ik het niet kunnen dat ik of Louise voor hem ging zorgen. Het gaat om het leerproces dat iedere ouder doormaakt. Bij je eigen ouders zeg je gewoon: 'Zeg ma, dat wil ik niet!' Wat bij haar speelde, was dat zij niets durfde te zeggen, misschien vanuit haar cultuur. Ze voelde zich soms verscheurd tussen twee culturen, bijvoorbeeld toen ze uiteindelijk besloot om Riks haren te laten knippen omdat hij net een meisje leek. We vroegen haar wat zij zelf wilde als moeder, omdat het in haar cultuur de gewoonte is om jongetjes hun haar niet te knippen voor hun tweede verjaardag als bescherming tegen ziekte. Of toen ze de raad volgde van Mongoolse vrienden om Rik een wollen maillot aan te trekken met daarover een broek, terwijl het mooi weer was hier. Toen ik zei dat hij het te warm had, zei ze dat het in Mongolië min 50 graden was. Het ging ook om de rolverdeling: zij moest als jonge mama nog veel leren en gaf haar noden ook aan, maar zij was wel de mama. Het is zoals met grootouders: als je kleinkind op bezoek is en je bent er alleen mee, gaat het volgens jouw regels, maar als je dochter erbij is, gaat het anders en dat is soms moeilijk.

Door omstandigheden werd het pleegouderschap officieel beëindigd. Maar dit betekent niet dat het gezin van Eva uit het leven van Esma en Rik verdween. Nu zien we Esma en Rik weer af en toe. Ze wonen nu alleen in een leuke studio en af en toe komen ze logeren, ze feesten met ons mee als er iets te vieren is en als ze ons nodig hebben, bellen ze ons. En dat is wat wij wilden zijn: een steun die naargelang de noodwendigheden meer of minder intensief is. Een steun zoals een jonge boom dat nodig heeft. Niet te strak zodat de boom kan groeien, maar toch sterk genoeg om niet te ontwortelen of te breken als het gaat *waaien. En we zien dat het zo goed is: ze groeien en ze bloeien en we zien dat onze Mongoolse boom het hier naar zijn zin heeft.*

En terwijl wij er altijd voor hen willen zijn als ze ons nodig hebben, maken we ons weer klaar voor een nieuwe pleegzorg, want het is zoals Louise altijd gezegd heeft: 'Al was het soms heel zwaar, het heeft ons meer gegeven dan afgenomen.'

Met het ouderschap begint het pas echt

De komst van een eerste kind is altijd even wennen en zoeken. Voor de ouders begint het pas echt als het kind er is. Dat is voor tienerouders niet anders. In dit opzicht zijn het heel gewone ouders. Het ouderschap blijkt hen soms aangenaam te verrassen. Door hun jonge leeftijd staan ze echter voor een aantal specifieke uitdagingen: de combinatie gezin en school om hun diploma te kunnen behalen (hun paspoort naar een betere toekomst), financiële moeilijkheden en natuurlijk steeds de beoordelende blikken van omstaanders en de maatschappij die erop toezien of ze wel goede ouders zijn. Geconfronteerd met deze hindernissen is het belangrijk dat tieners zich gesteund weten en een plek hebben waar ze zich aanvaard voelen met al hun twijfels, angsten, maar ook kleine en grote overwinningen. Vaak biedt het eigen kerngezin deze steun. Complementair aan deze steun of wanneer deze steun ontbreekt, kunnen andere mensen hulp bieden zoals vrienden, maar ook organisaties, al dan niet in de vorm van lotgenotencontact. En wanneer het echt even allemaal te veel wordt, kan pleegouderschap of een verblijf in een Centrum voor Integrale Gezinszorg een mooi alternatief zijn. Zonder afstand te moeten doen van zijn of haar kind krijgt de tienerouder toch wat extra ademruimte om zijn of haar leven te organiseren, zichzelf te ontplooiien en te groeien in haar of zijn ouderrol tot zij of hij klaar is om zelfstandig verder te gaan. In om het even welke situatie geeft het aan tienerouders hoe dan ook rust als ze een plek hebben waar ze naartoe kunnen en weten dat ze er op moeilijke momenten niet alleen voor staan.

HOOFDSTUK 7

PARTNERSCHAP: DE PRINS OP HET WITTE PAARD?

Toen mijn ouders het nieuws vernamen, wilden ze dat we trouwden. Ik wilde echter niet trouwen omdat ik zwanger was, ik wilde trouwen uit liefde. Ik was wel verliefd op Mario, maar wilde niet trouwen omdat het moest... Ik wilde trouwen om te laten zien dat ik dat echt wilde. Het was verre van gemakkelijk: ik ging met Mario een relatie aan, maar zat nog in de levensfase waarbij je van de ene naar de andere fladdert en helemaal nog niet zeker weet of hij de ware is. Over Mario dacht ik nooit dat hij mijn prins op het witte paard zou zijn. Maar plots was ik zwanger.

Het zal je maar overkomen: jong zwanger en je wereld staat op zijn kop. Maar als tiener, meisje of jongen, ga je vaak relaties aan die niet altijd even serieus bedoeld zijn. Je experimenteert wat, je zoekt nog volop wie je zelf bent, hoe je je leven wil vormgeven en welke partner daarin zou passen. Zelden heb je op deze jonge leeftijd het idee dat je meteen de ware gevonden hebt. Bovendien zijn het vaak nog korte relaties en ben je vaak amper een paar maanden samen. Zo kenden Ellen en Mario elkaar nog maar tien maanden op het moment dat Ellen zwanger bleek. Van het ene moment op het andere blijf je voor het leven met elkaar verbonden door een kind. Als je kiest voor het kind natuurlijk… De positie van het meisje is hierin heel anders dan die van de jongen: het meisje draagt het kind en moet dus sowieso een beslissing nemen. Zelfs als ze niets beslist, kiest ze ervoor de zwangerschap uit te dragen. Een jongen heeft daarentegen iets meer speelruimte. Hij kan afwachten wat het meisje beslist, maar hij kan ook vluchten en zijn verantwoordelijkheid ontlopen of hij kan er bewust voor kiezen om mee te beslissen. In ieder geval is zijn positie hierin vrijer en tegelijkertijd ook afstandelijker dan die van het meisje. Eigen aan tienerzwangerschappen is dat de koppels zelden samenwonen, wat hun band minder sterk maakt en misschien een makkelijke aanleiding is om de onderlinge confrontatie niet te hoeven aangaan. Op dat moment zijn er verschillende scenario's mogelijk. Zo kan het meisje beslissen om het kindje te houden, maar de jongen kan weigeren de vaderrol op zich te nemen. Dan gaat ze alleen verder. Of misschien loopt de relatie stuk, maar wil de jongen wel een rol spelen in het leven van zijn kind. Of ze besluiten samen om het kindje te houden. Ellen besloot vrij snel haar kindje te houden, maar zou Mario haar volgen? *'Denk je bij mij te blijven of wat ga je doen?'* vroeg ik hem rechtuit. *'Ik wil het liever weten.'* 'Nee,' antwoordde Mario, *'ik ga niet weg. Dat is mijn kind en we gaan dat samen doen. Dat komt goed.'* En toen zijn we er samen voor gegaan. Voor de zwangerschap was er nog geen sprake van samenwonen, nu werd dat plots heel vanzelfsprekend. *We gingen vrij snel samenwonen. In juni was ik zwanger en in oktober zijn we gaan samenwonen, toen werd ik net negentien.*

Hun zoon Cédric heeft hen dus niet alleen tot mama en papa gemaakt, maar ook tot koppel, met alle ups en downs die dat met zich meebrengt. Tijdens de zwangerschap was Mario Ellens grote steun en toeverlaat die vertrouwen in de toekomst gaf, ook op momenten dat Ellen dat zelf helemaal niet meer voelde. Ze was erg gesloten naar de buitenwereld toe, maar bij hem vond ze letterlijk een schouder om op te huilen als de onzekerheid en twijfel haar te veel werden. De geboorte en vooral de aanpassing aan hun nieuwe leven was echter stresserend voor hen als koppel. *Cédrics geboorte gaf wel veel stress. Maar ook veel getrouwde koppels die al lang samen zijn, zeggen dat een kind een relatietest is en zo voel ik dat ook aan.* Tegelijkertijd weten Ellen en Mario niet hoe het leven is zonder kinderen, hoe deze ongeplande zwangerschap hun relatie veranderd heeft. *Ik kan niet zeggen wat er moeilijk voor een koppel is aan kinderen hebben, omdat wij niet anders hebben gekend samen. We waren immers pas samen en kregen al een kind.* De vlinders waren er wel in die eerste maanden, maar dat gevoel verdwijnt – ook zonder een kind. Maar hoe zich dat in andere omstandigheden ontwikkelt, weet Ellen niet, in tegenstelling tot haar zus bijvoorbeeld. *Toen mijn zus toegaf dat ze jaloers was op de aandacht die haar man aan hun dochtertje gaf en die zij minder kreeg, herkende ik dit gevoel niet. Wij zijn haast altijd een koppel geweest met een kind.*

Na vijftien jaar gaan ze er nog altijd samen voor en hoe... Intussen hebben ze vier flinke zonen. Waar de zwangerschap van de oudste voor stress zorgde, was dit bij de volgende zwangerschappen veel minder het geval. *Ons derde en vierde kind, die namen we erbij en alles bleef hetzelfde, maar bij onze eerste, dat was wat anders. Mijn zus zegt ook: 'Amai, jullie beginnen er nog eens aan met Milan en Joran, terwijl jullie door de kleine kinderen heen hadden kunnen zijn. Jullie zullen nooit zonder kinderen zitten, want jullie Cédric of Marnick komen kleinkinderen brengen als de twee kleinsten uit huis zijn.'* Met zo'n gezin boet je natuurlijk wel in aan tijd voor elkaar, maar ze begrijpen elkaar daarin volkomen. En af en toe maken ze ook uitdrukkelijk tijd voor hun tweetjes. *Kinderen brengen zoveel*

meerwaarde in je leven. Onze kinderen zijn ons 'alles'. Wij aanvaarden
dat we momenteel heel weinig tijd hebben voor elkaar. Onze aandacht
gaat naar onze vier kinderen, waarvan twee kleine koters en twee grote
met hobby's, wat maakt dat we naar het voetbal crossen enzovoort. Ma-
rio werkt ook heel hard, zeven dagen per week. Onze tijd komt nog wel,
nu is de tijd voor onze kinderen. Mario maakt er geen probleem van dat
de kinderen meer geknuffeld worden dan hij. We proberen wel eenmaal
per maand in het weekend een babysit te nemen en samen iets te doen,
zoals uit eten gaan of een weekendje weg. Dat hun leven met kinderen
gevuld is, is intussen zó vanzelfsprekend geworden dat Ellen zich
afvraagt of ze wel zullen kunnen samenleven wanneer hun kinderen het huis uit zijn. *Soms vraag ik me af of het tussen ons nog zou luk-*
ken als de twee kleinsten uit huis zijn, omdat wij nooit zonder kinderen
hebben geleefd. We zeggen dikwijls tegen elkaar: 'Wat als die er niet meer
zijn?' In de zomer merken wij dat al, omdat de kinderen dan altijd een
week meegaan met mijn ouders. Dan missen wij ze, dat is niet te geloven.
Een ander koppel zou daarvan genieten en zelf iets gaan doen. Wij zitten
echt te wachten tot ze terug zijn. Mario zegt dan wel: 'Natuurlijk zal dat
wel gaan tussen ons, dan gaan wij genieten en reizen...' Maar ik denk
daar echt wel over na, want dan zijn 'wij' het echt. Maar ze hebben de
afgelopen jaren zoveel meegemaakt, dat Ellen er ook wel vertrouwen in heeft dat het goed komt. *We zijn er sterker uit gekomen, ook*
als koppel. Nu meen ik dat er iets heel ergs zou moeten gebeuren voor wij
uit elkaar zouden gaan.

Onverwacht liefdesgeluk

Het verhaal van Mario en Ellen is enigszins verbazingwekkend
te noemen... De ongeplande zwangerschap resulteerde niet alleen in de keuze voor hun kind, maar ook in een keuze voor elkaar.
Niet iedereen is eenzelfde geluk gegund, meestal niet zelfs. Soms

zijn de goede intenties er wel, of de wil om het kind een plaats te geven, maar krijgt de jongen plots angst, waarna het meisje alleen achterblijft. Twijfels over de beslissing zijn dan niet ongewoon. Maar ook als het meisje besluit het kind te houden, is dit vanuit het besef dat ze er dan allicht alleen voor zal staan. Deze tienermoeders krijgen dan tegelijkertijd te kampen met het verdriet om hun relatiebreuk en met hun toekomst alleen met het kind. Dat overkwam ook Pauline. *Ik was met mijn vorige vriend ongeveer vijf maanden samen toen ik ontdekte dat ik zwanger was. Dat is natuurlijk nog niet zo lang. Twee weken voor het nieuws van mijn zwangerschap ging het al niet zo goed meer tussen ons. Toen hij op het moment dat we ontdekten dat ik zwanger was, kwaad en koppig reageerde en meteen wilde dat ik het kind weg zou doen, kreeg ik al het gevoel van: dit gaat niet lang duren.* In tweede instantie aanvaardt hij de zwangerschap en wil hij achter haar beslissing staan om het te houden, maar het blijkt niet van harte. De verantwoordelijkheden en het doembeeld dat hij zijn jeugd moet opgeven, worden hem te veel. *Hij was zelf echt nog een kind. Dus hij kon dat ook niet aan. Dat kon ik merken aan de dingen die hij zei, zelfs al voor de geboorte, zoals: 'Als dat kind dan een week bij mij is, dan breng ik het in het weekend bij mijn moeder, zodat ik naar het café kan.' Hij wilde het kind ook niet erkennen als vader en zei: 'Ik ga geen geld betalen als ik dat kind niet te zien krijg', waarop ik antwoordde: 'Als jij dat kind niet erkent, kan ik jou niet eens om geld vragen', en toen wou hij er niets meer mee te maken hebben. Sindsdien heb ik nooit meer iets van hem gehoord. Ik heb nu ook geen contact meer met mijn ex-vriend, dat hoofdstuk is volledig afgesloten. Ik verwacht ook niet nog iets van hem of zijn ouders te zullen horen, maar ik heb daar wel angst voor.* Het is niet ondenkbaar dat zijn ouders of hijzelf plots toch interesse gaan tonen zodra het kind geboren is, en dan toch een rol opeisen.

Net zoals vele tienermoeders had Pauline de vrees dat ze nooit meer een nieuwe vriend zou vinden – iets dat haar sterk heeft doen twijfelen om het kind te houden. Wat zij niet verwachtte, kwam echter toch op haar levensweg: een nieuwe vriend, nog voor haar kind geboren is. Hoewel hij zelf ook nog maar achttien jaar is, schrikt de zwangerschap hem niet af om haar beter te leren kennen. *Al voor wij een relatie kregen, was ik op de hoogte en vond het leuk voor haar dat zij zwanger was. Ze heeft het meteen verteld en gezegd dat ik dat eerst moest aanvaarden voordat ze een relatie met me begon. Ik heb erover nagedacht of ik het wel zou doen. Uiteindelijk heb ik het toch gedaan. Toen we dan een relatie begonnen, was ze drie à vier maanden zwanger. Ik heb het vrij snel geaccepteerd. Omdat ik zelf ook een grote kinderwens heb, vond ik dat wel leuk eigenlijk.* Even opmerkelijk als de beslissing van Joeri om een relatie aan te gaan met een zwanger meisje – wetende dat het dan niet louter een losse flirt is, maar het begin kan zijn van een serieuze, blijvende relatie – is de ondersteunende reactie van zijn omgeving. *Niemand in mijn familie heeft er problemen mee. Mijn moeder vindt het heel leuk en is echt geïnteresseerd. Zo wil ze bijvoorbeeld de naam nu al weten en als we die dan nog niet willen zeggen, is ze boos. Mijn vader heeft wel eerst gezegd dat ik er goed over na moest denken, maar die is er nu ook positief over. Ik heb twee broers en een zus en zij reageerden eigenlijk positief. Het kan zijn dat ze er tegen mijn moeder iets over zeiden, maar niet tegen mij. Het maakt wel een verschil dat zij allemaal het huis uit zijn. Ik ben de enige die nog thuis woont, dus hebben mijn broers en zus er ook geen last van.* Zijn vrienden op school kijken enigszins verbaasd op van deze keuze, maar dat deert hem niet. *Ik zit nog op school en volg deeltijds onderwijs, in de bouw, richting houtbewerking. In het begin zeiden er een paar klasgenoten: 'Je moet dat niet doen', maar die heb ik links laten liggen en na een tijdje draaiden ze bij en zeiden ze: 'Ik vind* het wel knap dat je dat doet.' Er zijn er nog wel een paar die zeggen 'liever niet', maar die zeggen dat eigenlijk om zichzelf te beschermen. Dat is hun eigen keuze, zoals dit de mijne is en ik voel me er goed bij. Concreet hebben de ouders van Pauline ervoor gezorgd dat Joeri en hun dochter kunnen gaan samenwonen in een appartementje. Voor zover dat mogelijk is, probeert het jonge koppel zich bewust te worden van de veranderingen die de baby in hun leven zal brengen en hoe hun relatie hierdoor – zeker in het begin – onder druk kan komen te staan. *Het is een feit dat een kind veel energie vraagt, vooral van mij dan, zeker omdat ik borstvoeding wil geven als het lukt. Een kind vraagt ook veel aandacht waardoor er minder aandacht naar hem zal gaan. Dat zal aanpassen zijn en veel stress opleveren, zeker als een baby nog klein is, dan wil hij eten, dan is-ie ziek... We praten nu wel al veel over hoe dat zal zijn, vooral 's avonds, in bed. Mijn moeder zegt ook: ''s Avonds in bed is het moment om de dag te bespreken.' Dat we er ons bewust van zijn dat het een moeilijke periode zal zijn, maakt al veel verschil. Dan kun je je erop voorbereiden.* Hoewel Joeri niet de biologische vader is, zijn ze ervan overtuigd dat hun relatie zal groeien door de komst van de baby. Een kind samen zien opgroeien schept immers ook verbondenheid. *Het mooie is dat je samen je kind zult zien opgroeien. Samen een leven grootbrengen en daarin verbonden zijn. En ook gewoon de leuke momenten met een kind: als het leert stappen, als het lacht, dat zijn leuke momenten die je dan deelt.* Zijn eigen levensgeschiedenis verklaart waarom Joeri bereid is om zijn leven te delen met een meisje en een kind dat niet het zijne is op te voeden. *Ik ben zelf niet opgevoed door mijn echte vader. Daar merk ik eigenlijk weinig van, maar misschien speelt dat onbewust wel mee in de aanvaarding. Ik voel me goed bij haar zwangerschap, ik voel mij echt vader. Ik wil papa worden op de best mogelijke manier. Als het goed blijft lopen tussen ons, dan zou ik het kind binnen een paar jaar willen erkennen. Ik ga ervoor.* Hij gaat ervoor... Hoewel het er eerst niet rooskleurig uitzag voor Pauline, heeft haar leven nog tijdens de zwangerschap een beloftevolle wending gemaakt.

Partnerschap eindigt, ouderschap niet

Jammer genoeg kent niet iedereen dat gevoel. Amy en haar vriend schrikken van de zwangerschap, maar het feit dat hij elf jaar ouder is en dus bestaanszekerheid kan bieden, maakt de komst van een baby niet onoverkomelijk. Na een relatie van een jaar wisten ze nog niet helemaal zeker of ze wel samen zouden blijven, maar Amy was er wel van overtuigd dat Simon er zou zijn voor hun kind – wat er ook gebeurde. En dat was het belangrijkste. *Bij het vernemen van het nieuws van mijn eerste zwangerschap zijn mijn toenmalige partner en ik dichter naar elkaar toe gegroeid, juist omdat ik toen geen familie meer had waar ik terecht bij kon. We hadden enkel elkaar waardoor we heel hecht waren. Mijn partner was ouder en wist dus al meer wat ons te doen stond. Hij ging uit werken, omdat ik wilde thuisblijven en ook de opvoeding voor het grootste deel op mij nam. Als koppel kenden we onze beste momenten dan ook tijdens mijn eerste zwangerschap.* Hoewel de tweede zwangerschap gepland was, loopt het stilaan mis. *Mijn tweede zwangerschap heeft ons echter verder uit elkaar geduwd, ook al was onze relatie al verslechterd. Na vijf jaar, een half jaar nadat ons tweede kindje geboren is, is hij zijn eigen weg gegaan. Het lukte niet meer tussen ons. Ik vind het nog altijd spijtig, want hij is natuurlijk de vader van mijn eerste twee kinderen. Dat was een zware periode, maar we hebben dat allemaal overwonnen. Gelukkig komen we nog goed overeen voor de kinderen die hij om de twee weken een weekend bij zich heeft.* Haar vermoeden en vertrouwen in hem wordt bevestigd: hij zou zijn kinderen niet in de steek laten. Kort nadien leert Amy een nieuwe partner kennen, met wie ze gaat samenwonen. Net zoals veel kinderen van tienerouders maken haar kinderen deel uit van een nieuw samengesteld gezin. *Ik werd opnieuw ongepland zwanger. We waren iets minder dan een jaar samen toen ik ontdekte dat ik voor de derde keer zwanger was. We waren allebei geschrokken van het nieuws, maar ook wel blij.* Samen kiezen voor een (ongepland) kind blijkt een enorme kracht van jonge koppels. Maar deze steun is bijgevolg niet voor alle (tiener) moeders van blijvende of terugkerende aard...

Je bent jong en je wilt wat, maar wat?

Sommige tienervaders weten zelf niet goed wat ze willen en nemen een ambivalente houding aan. Jammer genoeg heeft dit niet alleen gevolgen voor henzelf, maar kunnen ze hierdoor in een bijzonder conflictueuze relatie met de moeder van hun kind verzeild raken. Voor de tienermoeder is het vaak niet duidelijk of haar partner nu wel of geen interesse heeft om het kind te volgen. Ook blijkt het in zulke omstandigheden bijzonder moeilijk om in te schatten in hoeverre zij op zijn steun – zowel emotioneel als praktisch, zoals financieel – kan rekenen. Anne aanvaardt haar kindje omdat ze langer zwanger dacht te zijn dan ze werkelijk was en ook Joost, haar vriend met wie ze op dat moment ongeveer twee jaar samen was, leek wel blij te zijn. *Raar eigenlijk, want later had hij er geen interesse meer in en wou hij er niets voor doen – wat ook de reden was dat ik het uitgemaakt heb. Ik was toen acht maanden zwanger. Eigenlijk heeft hij mij de eerste zes maanden na de geboorte echt geterroriseerd. Ik denk dat hij boos of gefrustreerd was. Hij kwam geen enkele afspraak na, zei steeds 'ik kom', maar kwam dan niet opdagen. Hij viel op eender welk moment binnen, op een agressieve manier.*

Hij klopte niet aan en hij maakte Bas dan wakker of nam hem uit mijn armen terwijl ik hem aan het voeden was. Hij was geen stabiel persoon, had het heel moeilijk met zichzelf. Hij had ook zelf een heel moeilijke jeugd gehad en zijn zelfvertrouwen was daardoor laag. Daarom denk ik dat hij vooral iets kwam opeisen, zo van: ik heb daar recht op. Ik denk dat hij daarmee een statement wilde maken. Om haar zoon te beschermen is Anne genoodzaakt in te grijpen en duidelijke afspraken te maken. *Toen heb ik hem een brief geschreven waarin stond dat hij elke donderdag tussen zeven en acht 's avonds welkom was, maar de rest van de week niet. Ik deed dan ook de deuren op slot en logeerde zelfs een tijd bij mijn oma en bij een vriendin van mijn mama om met rust gelaten te worden. Hij moest Bas ook laten slapen als hij tijdens dat uurtje toevallig sliep en laten eten als ik hem aan het voeden was. Ik vroeg hem dus om het ritme van ons kind te respecteren, anders kon hij vertrekken. Dat heeft hij toen wel gedaan en hij hield dat bezoekuur ook een tijdje vol totdat hij meer begon te eisen. Hij wou Bas, die nog geen jaar was, een heel weekend meenemen. Ik vond dat niet kunnen.* Bovendien wil Anne ook dat hij niet alleen qua tijdsinvestering, maar ook op andere vlakken een inspanning levert om zijn zoon te mogen erkennen. *Als hij echt betrokken wilde worden als vader – want ik had hem niet erkend als vader – moest hij bewijzen dat hij dat echt wilde. Zo vond ik dat hij een deel van de kosten moest dragen, want ik betaalde alles zelf. Dan wilde ik wel een regeling uitwerken en Bas aan hem meegeven voor een weekend als hij wat ouder was. Maar dat zag hij niet zitten. Plotseling besloot hij dat het niet meer hoefde. Hij stond ineens aan mijn deur en zei: 'Doe het maar alleen.' Ik vraag me af of hij echt geïnteresseerd was in ons zoontje. Waarom heb ik hem nooit meer gehoord of gezien? Bas is intussen toch al vierenhalf jaar. Dat is raar.* Intussen probeert Anne haar leven voort te zetten, werk te zoeken. Ook een nieuwe relatie zou hierin passen. Ze heeft niet het gevoel dat haar zoon eventuele partners afschrikt. *Als ik in een nieuwe relatie begin over mijn zoontje, is de man in kwestie meestal eerst verbaasd en dan nieuwsgierig. Ik heb niet het gevoel dat dit feit hen afschrikt, misschien eerder dat ze dan nog meer geïnteresseerd zijn. Ik weet nog de eerste keer dat ik uitging en ik van een jongen af wou zijn, toen zei ik: 'Ik heb een zoontje.' Ik dacht dat hij dan wel weg zou gaan, maar hij antwoordde: 'Echt?' en hij vroeg mijn nummer.* Zelf is ze wel wat voorzichtiger en ze geeft toe dat ze bindingsangst heeft. Of haar huidige langeafstandsrelatie deze situatie zal overleven, is niet duidelijk. En over hoe Bas zich hierbij voelt of wat hij hiervan denkt, hoeft ze zich voorlopig nog geen zorgen te maken; daarvoor is hij nog te klein. Tenzij er natuurlijk een vriend komt met wie ze zich echt zou willen settelen. Dan is het een ander verhaal. Maar ze wil niet dat hij zich telkens opnieuw moet hechten aan toevallige voorbijgangers. In haar verwachtingen naar de rol van haar vriend ten aanzien van haar zoon is Anne heel realistisch. *Ik verwacht niet echt dat mijn vriend meteen met Bas opschiet. Ik kan moeilijk tegen een jongen zeggen: 'Nu moet je maar papa worden.' Ik vind helemaal niet dat ik dat recht heb. Ze hoeven hem niet al te vaak te zien als ze dat zelf niet willen. Zolang Bas niet bij mij woont, maakt dat ook niet uit.*

De situatie van Alexia is vergelijkbaar met die van Anne: zij zet de relatie stop omdat hij helemaal geen interesse toont in het kindje. Ze waren vijf maanden samen toen Alexia zwanger bleek. De relatie was allesbehalve optimaal. *Stijn heeft wel zijn dochter nog geboren zien worden; we waren nog een koppel tot twee maanden na de bevalling. Het ging al langer slecht. Hij liet mij altijd alleen, want zijn eigen leventje kwam op de eerste plaats. Maar hij besefte niet dat hij een kindje had om voor te zorgen. Toen hij zei: 'Dat interesseert mij nu niet', heb ik gezegd dat ik dan ook niet bij hem zou blijven.* Wanneer een tienervader zo wispelturig is over de zwangerschap en zijn toekomstig vaderschap, heeft de moeder het heel moeilijk om haar ex-vriend toe te staan om een vaderrol op zich te nemen – zeker als hij een tijdlang niets van zich heeft laten horen. Nu Mila wat ouder is, heeft Alexia noodgedwongen weer contact met de vader. *Hij heeft het kind erkend en heeft dus recht op bezoekrecht. Mij maakt het niet uit dat hij zijn vaderrol wil opnemen, zolang hij het dan maar goed doet. En dat doet hij tot nog toe helemaal niet. Sinds gisteren is er afgesproken dat hij één keer in de week hier mag komen, dat hij die avond een paar uur met Mila bezig mag zijn.* Ze is benieuwd, want tot zover had hij helemaal geen interesse voor zijn dochter. *Daarvoor had hij niets, maar dat wilde hij ook niet. Toen Mila fruitpap begon te eten, heb ik hem berichten gestuurd in de trant van: 'Kom jij die mee geven?' Maar hij wilde er niets van weten. Nu wil hij haar wel zien. Ik moet nog zien of hij komt, want hij woont hier niet in de buurt.*

Aan deze regeling gaat een tragische geschiedenis vooraf, waarin Alexia naar haar gevoel geconfronteerd wordt met een moreel dilemma: kiezen voor haar dochter of kiezen voor haar nieuwe partner? Alexia's vader zet haar onder druk om Mila mee te geven met haar ex-vriend. *Hij stond te roepen en te tieren en overhaalde me dat ze wel goed voor haar zouden zorgen en haar terug zouden geven. Ik heb hem toen verweten: 'Als er ooit problemen van komen, dan heb jij mijn dochter afgepakt. Het is niet omdat jij dertien jaar niet naar mij hebt omgekeken dat ik dat nu ook bij mijn dochter moet doen.'* Ze vertrouwt het niet helemaal, maar uiteindelijk geeft ze toe. Stijn brengt het kind echter niet terug. Wettelijk gezien was dat ook zijn recht, want hij had Mila erkend en op zijn adres ingeschreven. Bijgevolg kon hij haar meenemen wanneer hij wou, terwijl Alexia enkel kon toekijken. De enige manier om haar dochter terug te krijgen, was ingaan op zijn eis. *Hij wilde dat ik weer bij hem kwam wonen, samen met een paar van zijn vrienden. Dan zou ik mijn*

dochter terugkrijgen. *Maar ik had ondertussen al een nieuwe vriend...*
Hoe kun je nu kiezen tussen je dochter en je vriend die je zo graag ziet?
Wat moest ik doen? Ik moest wel voor mijn dochter kiezen, ik had geen
andere keuze. Na een paar dagen samenwonen werd het me al te veel en
mijn nieuwe vriend kon dat ook niet aan. Toen is hij daar ook bij komen
wonen, maar ik kon niet laten merken dat hij mijn nieuwe vriend was.
Dat hield ik niet vol en ik heb de papa van Mila gezegd dat ik nooit meer
iets met hem zou beginnen. Daarop wilde hij vertrekken en Mila mee-
nemen. Zijn moeder zat hierachter. Alexia zou er niets aan kunnen
doen als hij zijn zin zou doordrijven. Maar ze laat het er niet bij en
onderzoekt hoe ze Mila bij haar kan laten inschrijven. *Stijns moe-*
der had niet gedacht dat ik naar het gemeentehuis of naar de politie zou
gaan om mij te informeren over hoe ik haar op mijn adres zou kunnen
inschrijven. Achteraf is ze wel moeilijk komen doen. Maar ze had geen
recht op mijn dochter en ze had ook niets meer te zeggen. Ze hebben zelfs
een klacht tegen mij ingediend, dat ik bij hen was weggelopen en dat ik
Mila zou mishandelen. Maar Mila is absoluut geen kind dat mishandeld
wordt, ze is heel gezond en heel gelukkig. Dat is flauwekul. Het is uit-
eindelijk wel ver gegaan: Mila is onder toezicht van de jeugdrechtbank
geplaatst, nadat het comité ertussen is gekomen. Alle partijen moesten
hun zegje doen, maar Mila's vader wilde geen samenwerking. Ik snap
echt niet dat hij zijn eigen dochter onder de jeugdrechtbank plaatst. Dat
is echt het ergste dat je je kinderen aan kunt doen! Maar hij heeft dat ge-
daan om mij te kwetsen. Nu moet ik doen wat de jeugdrechter zegt, ter-
wijl ik niet diegene ben die haar iets heeft gedaan. Dat zie je goed genoeg
aan Mila, ze ziet er heel goed uit, daar is niks mis mee!

Ook Roos krijgt te maken met een conflictueuze relatie met
de vader van haar zoon Bjorn en heeft een juridisch 'gevecht' om
haar kind. De bemoeizucht van zijn familie voert de druk al in
het begin van de zwangerschap op, met een breuk tot gevolg.

Ongeveer een jaar waren we samen toen ik zwanger werd en we bleven
samen tot de kleine drie à vier maanden was. Eigenlijk zag ik onze breuk
al aankomen, zijn moeder moeide zich overal mee en dat was ik beu. Ik
voelde me onder druk gezet. Zij wist alles beter, alles moest snel gaan,
de geboortekaartjes bijvoorbeeld moesten meteen worden gekozen, dat
kon geen week wachten. Ook wisten zij wat ik doen moest, zoals bij hen
gaan wonen. Ik wilde dat echter niet en ons mama ook niet, omdat ik
nog naar school moest. Daarom bleef ik thuis wonen. Zij wilden Bjorn
opvangen thuis, terwijl ik hem liever naar een onthaalmoeder bracht.
Ook al waren ze daarop tegen, ik heb toch gewoon mijn zin doorgedre-
ven. Achteraf konden ze er eigenlijk niet veel meer van zeggen, want ze
wisten toch dat ik niet zou luisteren. Uiteindelijk maakt hij het uit
en kijkt hij niet meer om naar haar, noch naar zijn zoon. Hij heeft
wel zo zijn mening over tienermoeders: hij begint een poll op internet met de vraag of mensen tienermoeders verantwoord vinden. *Als reactie hierop heeft mama hem een bericht gestuurd, over het*
feit dat hij zelf als tienervader niet naar zijn kind omkeek. Toen is hij
naar een advocaat gegaan en eiste hij bezoekrecht. Wellicht doet hij het
voor zijn ouders, want er is nog niet veel veranderd ten opzichte van
die eerste zes maanden waarin hij niet naar hem omkeek: Bjorn is nog
altijd meer bij zijn ouders dan bij hem. Hij trekt zich zelf niet veel van
hem aan. Toen hij bezoekrecht wilde, kon ik niet anders dan hem zien
omdat er van alles geregeld moest worden. We probeerden dat eerst on-
derling te regelen, maar konden het niet eens worden. Wij vonden dat
als hij Bjorn wou zien, hij ook onderhoudsgeld moest betalen, maar dat
wilde hij niet. Uiteindelijk moest het gerecht tussenbeide komen. Nu
heeft hij bezoekrecht: in het begin was dat één dag, wekelijks op zater-
dag van 's morgens tot 's avonds, later werd dat één keer in de twee we-
ken een weekend. Naar aanleiding van de laatste uitspraak van de
jeugdrechtbank wordt het co-ouderschap ingevoerd vanaf het

moment dat Bjorn vier jaar wordt. Roos is niet blij met de uitspraak en is ook niet van plan zich er zomaar bij neer te leggen. *Ik denk dat ik het co-ouderschap in tussentijd opnieuw zal aanklagen, want nu gaat Bjorn ook 's maandags en dinsdags naar hem, maar hij is altijd ziek en gaat dan niet naar school. Ik vrees dat wanneer hij een hele week zal gaan, hij nooit meer op school zal komen. Door de week werkt hij wel, maar in het weekend niet en ook dan zit Bjorn bij zijn grootouders. En ook 's avonds na het werk zou zijn papa hem moeten ophalen, maar dat doet hij niet. Maar ik kan niet bewijzen dat Bjorn bijna altijd bij zijn grootouders zit en niet bij zijn vader.* Bjorn zelf vindt de hele situatie maar niets en doet frappante uitspraken voor zijn jonge leeftijd, zoals: 'Ik ga hem doodmaken.' Roos overweegt om weg te lopen met Bjorn, maar beseft tegelijkertijd dat dit niet echt een oplossing is. *Nu het co-ouderschap er effectief zit aan te komen, denk ik steeds: misschien kan ik beter verhuizen, maar dat gaat toch niet veel helpen want dan komt hij me toch achterna en naar ergens ver weg helemaal alleen trekken, dat zie ik ook niet zitten. Eigenlijk zou ik Bjorn echt voor mezelf willen houden. Ik begrijp niet dat zijn vader zo'n lange tijd niet naar hem heeft omgezien en dat het gerecht dan zegt: 'Je moet maar denken dat dit het verleden is.' Toen het tussen ons gedaan was, had hij direct iemand anders en liet hij een maand niets van zich horen. Later is hij twee of drie keer op bezoek geweest, maar telkens met zijn ouders en zus erbij. En toen kwam plots die brief van zijn advocaat.* Stiekem hoopt ze dat hij weer afstand zal doen van dat co-ouderschap. *Ik hoop of ik denk dat er wel een kans bestaat dat, als Bjorns papa een nieuwe vriendin zou leren kennen, hij zal zeggen: 'Laat maar, dat co-ouderschap.' Zijn ouders kunnen dan wel nog omgangsrecht eisen, maar dat is toch maar één dag in de maand.* Indien hij er zou zijn voor zijn zoon, zou ze het nog ergens kunnen plaatsen. Maar nu...

Wanneer je als naaste omgeving zulke dingen ziet gebeuren, is er weinig dat je kunt doen. Maar dat maakt je nog niet minder bezorgd. Hannelore bijvoorbeeld heeft, nog voor er sprake is van een zwangerschap, helemaal geen hoge dunk van de relatie van haar zus. En dus zeker niet als het kind verwacht en later geboren wordt. *Ik maakte me meer zorgen over mijn zus, over haar relatie, dan over het kindje dat geboren zou worden, vooral omdat ik op het moment van de zwangerschap nog geen echte band met dat kindje had. Vanaf het moment dat Luna er was, maakte ik mij daar toch ook zorgen over, meer bepaald over het feit of de papa wel een goede partner en vader zou zijn. Mijn zus zette een punt achter haar relatie met hem, wat goed was voor Luna en voor mijn zus. Was mijn zus bij hem gebleven, dan vrees ik dat Luna trauma's opgelopen had omdat hij vrij agressief kan zijn... Hij ziet zijn dochter niet meer. Hij vraagt er wel om, maar mijn zus wil dat liever niet. Zij heeft geen goed gevoel bij zijn omgang met haar. Luna kan nogal koppig zijn: ze kan je af en toe het bloed onder de nagels vandaan halen. En hij heeft weinig geduld. Daarom heeft mijn zus angst dat hij daar gewelddadig op zou reageren.* Omdat ze voorlopig het hoederecht nog delen – waarvoor ook een juridische strijd aan de gang is – moeten beide ouders elkaar nog wel spreken. *Ze hebben wel contact met elkaar in functie van regelingen voor Luna. Mijn mama stelde mijn zus voor om een soort van opvang- of steungezin te zoeken waar ze Luna heen zou kunnen brengen terwijl ze gaat werken, zodat mijn mama niet altijd oppas hoeft te zijn. Hij moet daar ook akkoord mee gaan, momenteel nog, want mijn zus gaat proberen om het volledige hoederecht te krijgen. Ze heeft al een advocaat aangesproken. Ik denk wel dat dat het beste is. Hopelijk komt dat binnenkort in orde.*

Het kan ook anders

Tieners die voor de rechtbank hun rechten over hun kinderen moeten opeisen... Het lijkt hallucinant, maar is helaas soms bittere realiteit. Op die manier wordt een tiener inderdaad heel volwassen in negen maanden tijd. Deze realiteit hoeft niet verbloemd te worden, maar het is gelukkig niet het enige verhaal. Linda en Marcel vertellen bijvoorbeeld over hoe vlot de relatie tussen hun dochter, hun kleinzoon en zijn vader loopt, zonder dat daarover ook maar iets op papier staat. Overbodig vonden ze, ondanks het feit dat de relatie reeds gedaan was vóór de geboorte. *Ze zijn nog een maand samen geweest toen Lien zwanger was. Toen Lucas geboren werd, waren ze definitief uit elkaar. Jo is wel een paar keer mee geweest naar de prenatale cursus en hij ging regelmatig mee naar de gynaecoloog. Lien was zo'n acht maanden ver toen ze zeiden dat het een jongen was - daarvoor dachten ze dat het een meisje was. Hij was o zo gelukkig met een zoon!* Officieel heeft hij het kind niet erkend. *Lucas draagt zijn moeders naam. Officieel heeft hij geen vader, maar hij weet goed genoeg wie zijn vader is. En als je hem ziet lopen, zie je zijn vader er ook echt in. Dan weet je het direct. Ook al draagt onze kleinzoon niet zijn vaders naam en vormt onze dochter geen koppel meer met zijn vader, hij gaat ook naar zijn papa. Dat is onderling geregeld, zonder inmenging van een rechtbank.*

Ik heb altijd gezegd dat een kind later sowieso gaat zoeken naar zijn natuurlijke vader, waarom moet je daar dan moeilijk over doen? Daarom gaat hij twee dagen per week en één weekend op twee naar zijn papa. Het gaat dus om co-ouderschap, of liever co-grootouderschap, want zijn papa woont ook nog bij zijn ouders, nu bij zijn vader, Luc. Greta, de moeder van de papa, is intussen gescheiden van Luc. Dat beide ouderparen van Lien en Jo tegen abortus waren en liever hadden dat ze het kindje zouden houden, heeft wellicht een onderlinge band geschapen tussen de grootouders – een vertrouwen waarop ze nog steeds kunnen bouwen nu. *Zijn opa is heel goed voor onze Lucas, dus waarom niet? Het is niet omdat je het als koppel niet meer kunt vinden, dat je dat niet voor je kleinzoon kunt opbrengen. Officieel is het hun kleinzoon misschien niet, maar het is en het blijft hun kleinkind.* Lien had het wel moeilijk met de relatiebreuk en zij was vooral bang om alleen achter te blijven met het kind, omdat geen man haar nog zou willen. Had ze dan wel een goede keuze gemaakt? *Maar Lien heeft zoveel vriendjes gehad, die kon er aan elke vinger drie krijgen. Wat wil je ook, een meisje in een jongensschool? Er waren er veel die het spijtig vonden dat ze zwanger was. Maar de meesten hielden het niet lang uit. Toen ik en mijn echtgenoot een weekend weg geweest waren en thuiskwamen, stond er een fiets die ik niet kende. Er zat een nieuwe jongen in de kamer. 'Ik dacht dat jij geen vrijer meer had?' 'Ja- wel, ik ben hem tegen het lijf gelopen. Dit is Tom', en ik vroeg: 'Tom, hoe lang denk jij het hier uit te houden? Eén jaar? Maximaal.' Nu lachen we er soms om, want ondertussen zijn ze al zes jaar samen.*

Papa ben je niet, papa word je

Je hebt geen idee wat het betekent om papa te worden. Ook al blijkt je partner zwanger te zijn en mag je plots van de ene dag op de andere papa zijn, papa word je nog veel meer. Zeker wanneer je op zestienjarige leeftijd de eerste schok verwerkt dat je vrien- din zwanger is en daarna haar vastberadenheid hoort dat ze jullie kindje zeker wil houden. Hendrik is minder zeker van zijn zaak: zou adoptie niet beter zijn, want uiteindelijk zijn ze toch nog jong en nog niet klaar om ouders te worden? Toch besluit hij bij Evelien te blijven en haar te steunen in deze beslissing, hoe pril hun relatie van vijf maanden ook is. Dat blijkt niet zo eenvoudig – zeker omdat ze nog niet gaan samen wonen, maar besluiten eerst hun middelbare school af te maken. Evelien waardeert zijn inspanningen en zijn wil tot betrokkenheid, hoe moeilijk het in het begin ook was. *Vooral toen Xavier nog echt een baby was, was het een beetje moeilijk. Voor een man is een baby niet erg interessant, omdat hij er nog niet mee kan spelen. Naar mijn gevoel was Hendrik nog niet volledig papa. En hij was nog met andere dingen bezig.* Hendrik geeft toe dat hij de eerste maanden vreemd vond. Het was echt wennen aan dit nieuwe leventje in zijn armen en aan zijn eigen nieuwe leven. Wat kun je nu doen met zo'n kleintje? Bovendien stond hij er niet helemaal achter, wat ook tijd vroeg. *Voor mij was zo'n kleine baby meer wennen dan voor Evelien, want met zo'n kleintje kon je niet veel doen. Ik wou eigenlijk al geen kinderen en ineens was het er wel... Hij was wel lief en schattig. Maar hij huilde erg veel. Hij was meer een ding dat mij in de weg zat, vond ik. En hij eiste aandacht van Evelien op. Uiteindelijk heb ik dat wel geaccepteerd. Ik heb me ook praktisch sterk moeten aanpassen, omdat Xavier bij Evelien woont. Het kost mij dan ook meer moeite om eventjes langs te komen. Maar ik deed het wel en nu ga ik zelfs elke dag.* Hun wederzijds geduld wordt beloond: wanneer Xavier een jaar is, wordt de band tussen vader en zoon hechter en neemt Hendrik ook meer uitdrukkelijk zijn vaderrol op zich. *Hij veranderde langzamerhand toen Xavier ongeveer een jaar was. In de goede zin: hij kwam vaker langs en hij speelde met hem. Zijn houding is sindsdien helemaal anders. Nu kan ik helemaal niet klagen. Hij staat 's nachts op, hij brengt Xavier af en toe naar de crèche, hij is bezig met hem. Hij heeft moeite gedaan om zich aan te passen.* Ook Hendrik beschrijft de eerste verjaardag van zijn zoon als een echte kentering. *Vanaf het moment dat Xavier kon lopen, werd hij mijn beste vriend. Nu kan ik van alles met hem doen. Maar als hij stout is, kan ik héél boos zijn tegen hem. Ik ben de strengste van ons beiden; ik vind dat hij moet leren luisteren. Soms doet hij dat wel, maar hij is twee jaar en zit in de nee-fase. Hij snapt het wel als het menens is. Dan moet hij op de* 'stoute stoel'. Dat is gewoon een kinderstoel, waar hij ook in zit om zijn pap te eten. Maar zodra we die stoel naar de muur draaien, en zeggen: 'Op de stoute stoel', dan begint hij te huilen. Tot hij gekalmeerd is. Het is een actief en vrolijk kind, hij kan niet stilzitten. Hij babbelt heel veel. Hij kent ook al veel woorden. Dus hij zwijgt geen moment. Hij is altijd aan het lopen en aan het spelen. Van alles aan het doen. Soms test hij ons echt uit. 'Niet aan de tv komen', zeggen wij dan en toch nog met één vingertje eraan zitten. Maar ondanks dat verkennen van grenzen en de rommel die hij maakt, is hij nu echt mijn speelkameraad!

Langzaam maar zeker groeit Hendrik in zijn vaderrol en samen blijven ze vechten voor hun relatie. Het was wel heel moeilijk om zo weinig steun en betrokkenheid van Hendrik te voelen toen Xavier nog een baby was. Ik dacht weleens: Nu maak ik het uit, nu moeten we uit elkaar gaan. Maar we hebben veel gepraat en het telkens opnieuw geprobeerd. En uiteindelijk heeft het geloond, onze relatie is er sterker door geworden. Ik wil Xavier niet zonder papa laten opgroeien. Dus ik wilde wel blijven vechten voor de relatie en Hendrik ook. Ze zijn er zich van bewust dat hun relatie ook tijd vraagt voor elkaar, exclusief met hun tweeën. Die tijd nemen ze ook graag. Soms doen we eens iets samen als koppel, zonder Xavier. Als we allebei een vrije dag hebben, brengen we Xavier weleens naar de crèche en nemen we een dagje voor onszelf. We gaan naar de film, shoppen of met vrienden weg. Het is in een relatie nodig om af en toe eens met twee alleen te zijn. En voor de rest zijn er onze avonden als Xavier slaapt.

Het begon met een droom

Soms kiezen jonge ouders ook heel bewust samen om aan kinderen te beginnen. Daarbij is de (toekomstige) vader vaak een stuk ouder dan de tienermoeder. Maar, jong of oud, kinderen hebben sowieso een impact op je relatie. En het feit dat het een bewuste keuze was, maakt de concrete realiteit van een partnerrelatie en het ouderschap er niet makkelijker op, zoals blijkt uit het verhaal van Carlo en Marie. *Wij verschillen ongeveer tien jaar. Bij de eerste zwangerschap was mijn man 29 jaar en bij ons tweede kindje 32. We waren al drie jaar samen bij de geboorte van ons eerste kindje, onze relatie begon toen ik vijftien was. We leerden elkaar kennen in een discotheek waar ik mee naartoe ging met een vriendin die gek was op Carlo. Maar hij begon met mij te flirten en van het één kwam het ander. We besloten vrij snel aan kindjes te beginnen, maar wachtten wel tot ik mijn middelbare school had afgemaakt. We waren allebei heel enthousiast. Tijdens mijn zwangerschap had ik veel steun aan Carlo. We hebben nooit veel gepraat, maar hij gaf mij dat gevoel van steun wel. Hij liet dat gewoon merken, door me bijvoorbeeld te knuffelen. Op de eerste verjaardag van ons oudste zoontje zijn we getrouwd. Enkele jaren laten kozen we bewust voor een tweede kindje. En we zijn nog altijd een koppel, met ups en downs.*

Hun band ontwikkelt zich van een prille relatie met veel aandacht voor elkaar tot een volwassen relatie met de verantwoordelijkheid voor twee kinderen. Marie vraagt zich af of ze die verliefdheid nog eens zal ervaren. Of misschien is die er wel, maar laten ze het gewoon nooit zo duidelijk merken? *Die drie jaar tussen het net samen zijn en de eerste zwangerschap was onze relatie eigenlijk nog pril. Dat is anders dan nu. Wij zeggen niet meer zoveel tegen elkaar, zijn altijd met de kindjes bezig. Soms hebben we woorden, maar dat heeft iedereen wel. Als je dat niet hebt, dan klopt er iets niet volgens mij. We zijn zeven jaar samen nu en echt verliefd voel ik me niet meer. Dat komt misschien nog wel terug. 's Avonds in bed... dan is het er soms wel, maar overdag laten we dat nooit zien. Als we met ons twee weggaan, geven we elkaar nooit een hand en wij nemen elkaar ook nooit eens vast. Nu kussen wij ook niet meer. Dat deden we wel toen we nog geen kinderen hadden. Hun* relatie wordt beïnvloed door het dagelijkse leven met de kinderen, met zijn grote en kleine zorgen. Een belangrijke zorg is de ziekte van hun tweede kindje. *Toen Matteo geboren werd, liep onze relatie een stuk beter. Toen kenden we de gezondheidsproblemen van ons tweede kindje nog niet.* Daarnaast kampt het koppel ook met financiële moeilijkheden die hen ook beperken in wat ze in de vrije tijd als gezin kunnen doen. *Wij doen niet echt veel als gezin, omdat we het financieel niet zo breed hebben. In de zomer komt dat wel vaker voor, dan gaan we weleens fietsen, wandelen of in het stadspark met het treintje rijden. We nemen dan deel aan enkele evenementen die niet te duur zijn, net als de daguitstappen en meetings van het forum van tienermoeders. Ik ben blij dat ik die nog heb. Dan gaat Carlo ook mee. Voor mij is dat een gezinsuitstapje, waar ik van geniet, ook al is het in groep. Als we er financieel beter voor stonden, dan zou ik weleens de bus nemen naar de dierentuin of Planckendael. Maar dat gaat nu niet. Daarom doen we soms andere dingen, zoals naar de speeltuin gaan, dat is gratis. We verhuizen binnenkort en dan kunnen de kinderen bovendien in de tuin spelen van het nieuwe huis.* Tijd voor hun tweetjes is schaars. Het ontbreekt hun immers aan een sociaal netwerk om hun als koppel wat ademruimte te bieden. *Soms wil ik wel een babysit nemen om als koppel iets te doen, maar ik vind dat je die toch eerst wel een aantal keren gezien moet hebben. Dat vertrouw ik zomaar niet. Daarom stel ik het ook uit. Familie, daar kunnen we niet echt een beroep op doen. Mijn moeder werkt nog en ze kan niet met kinderen omgaan. Mijn ene zus werkt en zit bij haar vriend, mijn andere zus gaat naar school en zit ook bij haar vriend en die hebben geen tijd. Mijn grootouders dienen zo vaak als oppas als we naar de dokter of het ziekenhuis moeten met Lennert. Ik vind het nu al lastig dat ik hen altijd moet vragen om op te passen.* Onlangs vonden ze toch wat tijd en geld om eens lekker uit eten te gaan. *We zijn laatst gaan eten met 25 euro die we kregen van mijn vriendin-vroedvrouw. Daar was Lennert wel bij, maar hij was rustig. Dat was de eerste keer in vier jaar en we hebben er enorm van genoten. We moeten dat zeker nog eens doen, eens naar de film gaan of iets dergelijks. Als je Carlo laat kiezen, dan zit hij altijd thuis. Maar als hij mee is op uitstap, dan geniet hij wel.* Ondanks hun harde leven met de nodige kopzorgen hebben ze voornamelijk onenigheden over de opvoeding van de kinderen. *Het eens worden over over de opvoeding vind ik het moeilijkst. Carlo geeft een andere opvoeding dan ik: ik ben zachter en ik geef meer toe, terwijl hij veel strenger is. Dat is het verschil tussen ons vanaf het moment dat er kinderen zijn en daar hebben we soms woorden over.* Ook de taakverdeling zorgt nogal eens voor spanningen, omdat alles op Maries schouders terecht lijkt te komen. *Dat vind ik niet oké. Ik heb dikwijls zoiets van: stop jij hem nu eens in bad, kleed hem eens aan, geef jij hem eens eten... Hij heeft altijd excuses, zoals: 'Daar heb ik geen geduld voor', of: 'Ik moet eerst dat nog doen...' In bed stoppen doet hij wel en een luier verwisselen ook weleens, maar dat mag geen stoelgang zijn. Dan zegt hij: 'Ik heb het Sam Goorissyndroom, die moest altijd overgeven... Dus doe jij het maar.' Ik had toch liever gehad dat hij zou zeggen: 'Zal ik dat doen?' Misschien verandert dat nog weleens. Kuisen is ook mijn taak. Hij stopt wel af en toe was in de wasmachine en de droogkast als hij dringend propere kleren nodig heeft, maar dan doet hij verschillende machines snel na elkaar en de strijk stapelt zich dan op voor mij. Soms vraag ik hem gewoon om me te helpen, want ik ben geen meid. Ik doe dus wel het meeste in het huishouden, maar hij gaat uit werken - dus ieder z'n ding.* In hun gezin zijn praktische gewoontes gegroeid op het vlak van huishoudelijke en opvoedingstaken die erbij komen met een kind, maar - zoals in elk gezin - geven die soms aanleiding tot discussies...

Het is voor kersverse moeders en vaders dan ook niet enkel wennen aan een kind, maar ook aan de veranderde onderlinge relatie. Doorgaans is het de overgang naar een gezin een hele stap, zelfs al is het kind heel welkom. Voor de ene partner vraagt dit een grote aanpassing, bij de andere groeit dat spontaan. Zo was het voor Eric even wennen als jonge vader, terwijl Myriam als vanzelfsprekend haar 'oergevoel' volgde, zoals zij dat zelf noemt. En het kostte hun tijd en moeite om opnieuw naar elkaar toe te groeien, ondanks hun enorme vertrouwen in elkaar en in de keuze voor hun gezin. *Voor ons als koppel had ik geen angst tijdens de zwangerschap. In Eric had ik een maatje voor het leven gevonden. Ik heb er nooit bij stilgestaan dat het niet zou lukken. Als ik bij hem ben, dan is het wel goed, dacht ik. Ik voelde me veilig bij hem. En dat is nog zo. Er is een basisvertrouwen in mij dat zegt dat het allemaal wel goed komt en dat dit zo zal blijven.* Maar de geboorte van Vic vergde toch een hele aanpassing. *Toen hij geboren was, leefde ik plots in een klein wereldje van Vic en mezelf, alsof er een scherm tussen ons en de buitenwereld zat. Vic kwam eigenlijk op de eerste plaats. Maar dan moet je wel terug naar een relatie met je man. Dat is niet niks.* Eric zegt dat hij dat ook wel gevoeld heeft. *Het is normaal dat voor zo'n klein kind heel veel gezorgd moet worden en ik had zelf wel een band met ons kind. Maar af en toe zei ik: 'Hé, ik ben er ook nog.'* Tegelijkertijd beseft Eric dat hij toen niet heel bewust leefde, maar op automatische piloot handelde. Hij had meteen een groot verantwoordelijkheidsgevoel en wilde bewijzen dat hij een goede vader of kostwinner was. *In het begin van ons samenleven leefde ik niet echt bewust. Ik kan me daar ook niet veel meer van herinneren. Wat ik wel wist, was wat me te doen stond: heel veel gaan werken, twee jobs combineren en overuren maken, omdat ik mijn gezin moest onderhouden en alles financieel rond moest zien te krijgen. Er moest eten zijn, luiers enzovoort.* Echt veel ruimte voor onderlinge verbondenheid was er niet. Maar telkens vonden ze elkaar terug. *Wat ons opnieuw samenbracht, was de natuur. Wij* deden fietstochten samen, gingen naar het bos enzovoort. Gezien de sociale isolatie waarin Myriam zich bevindt, heeft ze ook ruimte nodig om bij zichzelf te komen en om dingen te ontdekken die haar bevestiging en houvast geven. *Wat mij geholpen heeft, is mijn geloof. Ik ben katholiek opgevoed, niet dat ik elke week naar de mis ga, maar de kerk, dat was toch een plek van stilte, van meditatie voor mij. En toen ben ik yoga gaan doen. Die leraar was ook therapeut en die zei op een gegeven moment: 'Myriam, verdriet mag er zijn!' Hij zei dat tegen iedereen: 'Verdriet mag er zijn.' Ik ben in die groep, tijdens een liggende oefening, beginnen te huilen, huilen, ik kon niet meer stoppen! Hij kwam naar me toe en vroeg wat er scheelde. Dat was eigenlijk de eerste keer dat iemand zich echt bekommerde om mij...* Eric werkte wel hard om brood op de plank te krijgen en wij spraken ook wel, maar dat ging eerder om praktische dan emotionele dingen. De kennismaking met deze therapeut blijkt een openbaring voor hun relatie. *Die therapeut opende voor mij de weg om emoties te bespreken. We zijn eerst samen op gesprek gegaan en later in individuele begeleiding, omdat hij zei: 'Jullie hebben geen kwetsuur samen, wel afzonderlijk.' Hij heeft ons op dat spoor van 'samen' gezet: samen leven, ook zonder kinderen. Hij was een goede leermeester die zeer verbindend met ons werkte. Wij zaten elk met ons eigen stuk en daarom botsten wij. We botsen nu nog, maar we kunnen het aan. Die therapie heeft gemaakt dat we zijn samengebleven. Ook al legde de dagelijkse zorg druk op onze relatie, was het niet zozeer het praktische dat lastig was, maar het emotionele. Voorheen vonden en verstonden we elkaar niet, maar we verwerkten eerst voor onszelf een aantal zaken uit ons verleden. Daardoor konden we gevoelens met elkaar delen, ook pijnlijke.*

Tienervaders zijn in het algemeen een vergeten doelgroep en ook in dit boek komt een minderheid rechtstreeks aan het woord. Het is immers niet eenvoudig om hen bereid te vinden om hun kant van het verhaal te vertellen. Toch willen we hun een stem geven en het maatschappelijk beeld dat leeft, enigszins nuanceren. Tienervaders kampen met een slecht imago: dat van een egoïstische jongen die louter zijn lusten volgde. Hij wordt met de vinger nagewezen als 'de schuldige'. Mensen verwijten hem zijn onverantwoord onveilig vrijgedrag. Voor de tienerzwangere is er meestal nog enig begrip of medelijden; voor de tienervader is dat veel minder het geval. Soms wordt hij ook buitenspel gezet door het tienermeisje en/of haar ouders, door hem helemaal niet of pas veel later op de hoogte te brengen van de zwangerschap. Ouders van zwangere tienermeisjes hebben vaak vragen over de rechten en plichten van de vader, meestal vanuit de (goede) bedoeling het meisje te 'beschermen' en de jongen op afstand te houden. Ook in de hulpverlening is er meestal weinig betrokkenheid ten aanzien van de tienervader, omdat dit meestal een proactieve aanpak vereist. Zo kan hij worden uitgenodigd voor een gesprek, want meestal vindt hij zelf zijn weg niet naar hulpverlening. Dikwijls zoekt het meisje hulp en zij wordt gesteund in haar beslissingsproces. Om de (juridische) zelfstandigheid van het meisje te waarborgen wordt wel geïnformeerd naar de vader, maar hij krijgt vaak geen stem in het proces.

Meestal reageert de jongen in eerste instantie afwijzend op de zwangerschap en het ouderschap, maar dat wil niet zeggen dat hij zich na verloop van tijd niet anders kan gaan voelen of er anders over kan gaan denken. Ook voor hem is het onverwacht nieuws en hij moet dat verwerken. Het nieuws maakt hem in eerste instantie bang en onzeker, het doorkruist zijn toekomstplannen van verder studeren, reizen van wat hij met de relatie op het oog had... Die weerstanden gaat hij rationeel verwoorden. Ook de hulpverlening concludeert dan soms al snel: die jongen kan de zwangerschap niet aan, wil abortus of wil helemaal niets te maken hebben met het kind, terwijl hij enkel verward is. Hij trekt zich terug als reactie op emotionele problemen om zelf na te denken en oplossingen te zoeken. Jongens zijn nu eenmaal minder snel geneigd om hulp te zoeken. Dit kan echter ten onrechte verkeerd geïnterpreteerd worden als een onverschillig stilzwijgen en afwijzen. Opvang en begeleiding is nochtans belangrijk voor zijn verwerking van de beslissing die het meisje heeft genomen, of die zij in het beste geval samen genomen hebben. Als er wordt gekozen voor het uitdragen van de zwangerschap, is de betrokkenheid van de vader (ook op afstand) belangrijk voor het kind.

Het is van belang om de vader niet dood te zwijgen en hem dus een stem te geven in het gesprek met het meisje, bijvoorbeeld: Wat is je relatie met hem? Zie je een toekomst samen? Kunnen jullie de opvoeding delen? Welke plaats kan hij als vader krijgen? Ze moet nadenken over hoe ze later over de vader zal spreken met haar kind. Een vertrouwenspersoon of hulpverlener kan indien nodig tenslotte bemiddelend optreden.

Hoe groot de rol van de vader is, ligt grotendeels in handen van het meisje. Juridisch gesproken kan zij vanaf de leeftijd van twaalf jaar alleen beslissen over wat ze zal doen. Het meisje kan volledig autonoom beslissen tot het uitdragen of afbreken van de zwangerschap en ook daarna heeft hij weinig rechten. Zo moet zij toestemming geven voor erkenning van zijn vaderschap. In geval van een conflictueuze relatie met de moeder van zijn kind, en onmogelijkheid om er samen uit te komen, kan hij zijn rechten enkel afdwingen via gerechtelijke weg.

Partnerrelatie onder druk

Een zwangerschap, zeker een ongeplande op jonge leeftijd, en het prille ouderschap zetten je relatie onder druk. Samen sterk kan een bron van kracht zijn om als jonge ouders je nieuwe rol op je te nemen en verantwoordelijkheden te delen. Ruimte en tijd maken voor elkaar als koppel blijkt niet eenvoudig in het leven van jonge ouders, maar is een voorwaarde voor het welslagen van de relatie. Relaties zijn echter niet altijd duurzaam en de zwangerschap, het ouderschap of andere factoren kunnen tot een breuk leiden, net als bij volwassenen. Beide partners dienen dan hun rol te zoeken als ouder, vaak in nieuwsamengestelde gezinnen. Soms brengen goede onderlinge afspraken soelaas voor de kinderen, soms worden zij speelbal van via de rechtbank afgedwongen ouderrechten en soms vinden ex-partners een gulden middenweg. In ieder geval is het duidelijk dat de tienerouders het beste voor hun kinderen willen. En een liefdevolle, ondersteunende partnerrelatie blijft wel een belangrijke droom voor zichzelf en voor hun kinderen...

HOOFDSTUK 8

TOEN, NU EN LATER

Potverdikkeme, als we nu kijken naar ons huwelijk en alle moeilijkheden die we overwonnen hebben, we hebben het toch maar mooi gedaan. Doe het ons maar eens na!

Ter afronding blikken we graag samen met de jonge tienerouders en de intussen wat oudere moeders en vaders terug op hun verleden, vanuit het hier en nu, met een blik op de toekomst. Kijken zij nog steeds door dezelfde bril als toen en wat zijn hun dromen nu? Verschillen hun dromen van die van hun leeftijdgenoten? Wat is de invloed van hun jonge ouderschap op hun toekomst?

Met trots kijkt Eric alvast terug op dertig jaar ouderschap. Anne deelt die trots en stelt dat ze door haar jonge moederschap gegroeid is in haar volwassenheid. *Als ik er nu op terugkijk, ben ik echt blij dat ik gekozen heb voor pleegouderschap. Doordat ik er het eerste half jaar alleen voor zorgde, heb ik mezelf wel bewezen dat ik dat kan en dat het helemaal niet is dat ik geen moeite wil doen voor Bas. Dat willen andere mensen mij weleens doen geloven. Ik ben er enorm volwassen door geworden en ik besef nu dat mijn visies heel vaak anders zijn dan die van anderen. Ik zou bijvoorbeeld nooit een tweede kindje willen krijgen. Maar als ik nog een kindje in huis neem, zou ik er eentje adopteren of pleegouder worden of zo. Gewoon omdat er zoveel kindjes zijn die een thuis nodig hebben. Maar ik wil er niet nog eentje op de wereld zetten. Ik besef namelijk dat ik mezelf volledig wegcijfer en alleen maar wil dat Bas gelukkig is. Dat is echt het belangrijkste. Als iemand nu tegen mij*

zou zeggen: 'Sta Bas volledig af en hij wordt gelukkig of hou hem bij je en hij zal ongelukkig zijn', dan sta ik hem af. Ik zou hem nooit ongelukkig willen zien. Haar uiteindelijke droom is natuurlijk om Bas bij háár gelukkig te zien. In de nabije toekomst zou ik Bas graag weer bij mij hebben. Over enkele maanden of een jaar, dat weet ik nog niet. Dat hangt een beetje af van hoe snel ik van start kan als zelfstandige. Bovendien wil ik hem niet midden in het schooljaar van school laten veranderen, dus ik wacht sowieso september af. Ik kijk daar echt wel naar uit. Mijn ouders dachten blijkbaar op een bepaald moment dat hij altijd bij hen zou blijven wonen, maar dat is nooit mijn bedoeling geweest. Mijn vader is nu met pensioen, mijn moeder gaat binnenkort met pensioen. Dat wil ik hun niet afpakken. Zij hebben al veel kinderen opgevoed en nu moeten ze kunnen doen wat ze zelf willen. Ik zou niet willen dat ze ten dienste blijven staan van mij. Ik denk ook niet dat ze het moeilijk zullen hebben als Bas weer bij mij komt wonen. Vooral mijn moeder dan, die is wel zoals ik. Ze weet dat Bas in goede handen is. Bovendien wonen we niet ver uit elkaar. Ze gaan hem sowieso nog veel zien, want ze zullen hem vaak opvangen. Misschien wordt het wel omgekeerd: twee dagen in de week daar. Het zou niet eerlijk zijn tegenover Bas om hen veel minder te zien, want het zijn meer dan alleen zijn grootouders, het zijn eigenlijk ook zijn ouders. Hoe zou hun leven er voor de rest uitzien? Als Bas weer bij mij woont, zou ik huishoudelijke hulp wel appreciëren, als ik mij dat kan veroorloven natuurlijk. Iemand die ook een beetje voor Bas zorgt en zo ook een beetje de last van mijn schouders neemt, zodat ik mezelf kan zijn. Bijvoorbeeld iemand die Bas eens van school gaat halen, die een keer iets gaat doen met hem als ik nog slaap nadat ik ben uit geweest of als ik mij eens niet zo goed voel. Want ik denk dat tijd voor mezelf wel heel belangrijk blijft. Ik wil niet heel mijn leven aan hem opofferen. Ik weet gewoon dat, als ik gelukkig ben, ik dat dan ook meegeef aan Bas. Ik heb gemerkt dat, als ik vrolijk en gelukkig ben, Bas *dat ook is. Dus hoe meer ik opgeef en hoe meer de situatie verkrampt, des te minder baat Bas daarbij heeft. Ik zou graag een heel goeie vriendschapsrelatie opbouwen met Bas. Ik wil zo weinig mogelijk de autoritaire figuur in zijn leven zijn. Op dit moment lukt dat enorm goed. Ik ben eigenlijk nooit boos op hem. Nooit. Dat is ook helemaal niet nodig omdat er respect is van twee kanten en dat vind ik geweldig. Dat wil ik graag zo houden. Zodat ik echt een goede vriendschapsrelatie kan opbouwen met Bas. Bas is mijn maatje, ik zie hem graag.*

'Graag zien' is een algemene noemer die terugkomt in alle verhalen, ondanks de moeilijkheden. Het jonge ouderschap houdt niet enkel beperkingen in, maar ook kansen op groei. Amy trok uit de geboorte van haar zoon zelfs lessen voor haar eigen toekomst: *Dat was ongelooflijk toen hij geboren werd. Hij was een geschenk van God, daar blijf ik bij. Ik zeg altijd: 'Alles heeft zijn reden in het leven', en zijn komst heeft zeker zijn reden gehad, want ik denk dat het anders nooit zo goed met mij was afgelopen. Ik was een lastige puber, trok me niets aan van iets of iemand... Hij heeft van mij echt een beter mens gemaakt.*

Lessen uit het verleden?

Vooral de oudere tienerouders die we interviewden, bedachten vaak spontaan hoe het geweest zou zijn als ze later aan kinderen begonnen waren. Ook Ellen vindt moeder worden op jonge leeftijd moeilijker dan op latere leeftijd. *Je wordt wel snel zelfstandig, leert snel je plan trekken omdat het moet. Ik weet wat het is om kinderen, de twee jongsten, te krijgen op oudere leeftijd en dat ging veel gemakkelijker dan bij de twee oudsten. Ik had veel minder zorgen. Dat heeft te maken met het feit dat onze financiële problemen opgelost waren, maar ook dat Cédric en Marnic al ouder zijn en meer konden helpen. Maar ik vind ook dat ik volwassener ben geworden. Ik ben ook* zekerder geworden van mijn relatie. Bovendien is Mario meer papa met onze twee kleintjes. En dat geeft hij wel toe, dat hij veel te jong was toen. Bijvoorbeeld: onze Milan moet eigenlijk naar de kleuterschool na de krokusvakantie en doordat ik altijd thuis ben, roept hij: 'Mama, trek jij mijn broek af', om op het potje te gaan. Hij is nog niet echt zelfstandig, ik doe dat allemaal. En dan zegt Mario: 'Ik vind dat Milan nog niet klaar is om naar school te gaan, hij kan zijn broek nog niet eens optrekken. Zie je dat kind, zo'n klein ventje al op de speelplaats?' En dan zeg ik: 'Mario, daar dacht jij toch niet over na bij Cédric en Marnick?' 'Neen, dat was anders', zegt hij dan. Toen had hij nog niet zo'n band, dat vadergevoel dat hij nu heeft. Erger dan ik. Ik had eerder dat moedergevoel dat hij niet had. Hoewel het uiteindelijk allemaal goed gekomen is – beter dan ze hadden durven dromen – zouden Ellen en Mario hun kinderen dan ook afraden om zelf vroeg kinderen te krijgen. Sterker nog, ze hopen stiekem dat ze later het huis uit zullen gaan dan zijzelf. Ik hoop toch dat ze niet te snel weggaan van huis. Mijn zus en ik zijn allebei heel snel weggegaan. In een jaar tijd waren er plots geen kinderen meer in dat huis. Mijn ouders waren toen nog zo jong. Dan zeg ik dat ze nog maar lang thuis moeten blijven; ik kan het me niet inbeelden dat ze zo snel de deur uit zouden zijn.

Ook al hebben ze er zelf het beste van gemaakt, ze wensen hun kinderen niet hetzelfde toe. Ouders zoals Mario en Ellen willen tienerzwangerschap dus niet promoten – hoewel ze ook wel begrip zouden tonen, mocht het ooit zo ver komen. Zou een van mijn zonen tienervader worden, dan zou ik dat wel erg vinden. Maar ik zou dat wel anders aanpakken, ik zou proberen het te aanvaarden en minder bezig zijn met wat 'de mensen' denken. Ik ben wel bezorgd dat onze kinderen misschien op jonge leeftijd vader willen worden. Vooral onze Cédric. Hij zegt dikwijls: 'Ik vind dat leuk, zulke jonge ouders, ik zou dat ook wel willen.' Dan zeg ik tegen Mario: 'Potverdikke, als dat een meisje

was geweest...' Hij wil leraar worden en hij studeert goed. Dan zeg ik:
'Je moet eerst nog drie jaar studeren. En trouwens, als je een meisje leert
kennen, zal die dat ook niet eerder willen.' Ik merk ook dat ze zelf veel
kinderen willen omdat ze het leuk vinden om met zoveel te zijn. Hun
ervaring heeft er ook toe geleid dat ze wat openlijker over seksualiteit en relaties proberen te praten met hun kinderen. *Bij ons werd*
er niet gepraat over relaties en seks. Mijn moeder zei gewoon: 'Luister
Ellen, voor je achttiende krijg je geen pil en daarmee uit.' Wij zijn daar
wel anders in, opener ook. Ik heb voor onze Cédric het boek 'Boys only'
gekocht. Hij heeft dat helemaal uitgelezen en ik moet er dikwijls om la-
chen. Hij zegt dan: 'Mama, ik heb eigenlijk rap vettig haar, dat is omdat
ik een puber ben.' Hij had dat gelezen in dat boekje en dan ben je daar
meer mee bezig. Verder hoop ik vooral dat ze gelukkig worden natuur-
lijk. Dat ze de juiste partner kiezen. Ik zeg altijd: 'Luister mannen, ik zal
jullie steunen en ik zal er zijn voor jullie.' Het speelt geen rol wat ze wil-
len worden als ze maar gelukkig zijn en het goed doen. Wij zeggen soms
wel: 'Wil je later achter de vuilniskar lopen, oké, maar ook dat moet je
goed doen.'

Het is vooral opvallend dat – ook al verlieten ze zelf op jonge
leeftijd het ouderlijk huis – ze dit aspect voor hun eigen kinderen
anders wensen. Misschien omdat ze het voor zichzelf ook anders
hadden gewenst of omdat ze nu zelf het legenestsyndroom voelen aankomen? Myriam en Eric vertellen dat hun kinderen vroeg
uit huis gegaan zijn, maar dat ze weten dat ze altijd kunnen terugvallen op hun thuisbasis. *We zeiden: 'Doe maar', al is het niet al-*
tijd zonder slag of stoot gegaan. Het is door te doen dat je het leert. Maar
natuurlijk altijd met de boodschap: doe je ding, maar weet dat de deur
hier openstaat. Voor mij is dat 'nest' belangrijk, dat je altijd ergens te-
rechtkunt. Ook kwam bij hen seksualiteit uitdrukkelijk aan bod.
We hebben met onze kinderen bewust gesproken over seksualiteit. Als

ze een vriendinnetje hadden, spraken we over condooms, over wat er
kan gebeuren. Ik wist eigenlijk van niets, ik was niet voorgelicht en ik
heb dat zelf moeten uitzoeken of hoorde iets van vriendinnetjes. In onze
tijd bestond voorlichting amper, maar nu zie je zoveel op tv dat het mis-
schien te veel, te verwarrend wordt voor jongeren.

Opmerkelijk is dat het in onze interviews vooral gezinnen zijn
die al wat langer geleden tienerouder werden, respectievelijk vijftien en dertig jaar, die beweren dat ze hun kinderen liever niet op
jonge leeftijd ouders zien worden. Spelen hier de negatieve reacties die ze ervaren hebben een rol? De tijdspanne maakt dat mensen zoals Myriam en Eric van een behouden afstand en met een
verruimde blik naar hun jeugd en jonge ouderschap kijken. Vooral het gemis aan begeleiding komt weer naar boven. *Het is intus-*
sen dertig jaar geleden en toch blijf je dat gemis aan begeleiding en on-
dersteuning voelen. We zijn nu wel fier op wat we bereikt hebben, maar
dat neemt niet weg dat al die pijn nog eens naar boven komt. Het is een
kwetsuur die daar nu nog zit, ik kamp soms nog echt met een minder-
waardigheidsgevoel dat ik eraan overhield. Soms zeg ik - in positieve
zin - dat ik jaloers ben. Zoals op de manier waarop onze dochter zwan-
ger kon zijn. Ik moest in mijn cocon kruipen om te overleven. Maar we
genieten nu echt als we onze kinderen met onze kleinkinderen bezig zien.
Als ik hun geluk zie, ben ik heel content. Maar ik word er ook mee gecon-
fronteerd hoe anders het voor onszelf was. Toen onze dochter bevallen
was, had ze op de derde dag in het ziekenhuis de babyblues. Haar kamer
zat vol met bezoek en ineens zei ze: 'Mama, ik moet even naar buiten', en
toen begon ze te wenen op de gang. Ik heb haar opgevangen en de ver-
pleegster zei tegen mij: 'Ze heeft u echt wel nodig', terwijl ik haar vast-
pakte, en: 'Jij hebt jouw mama toen waarschijnlijk ook nodig gehad.'
En onze dochter ging terug naar haar kamer en ik zwaaide nog eens tot
ik haar niet meer zag. Ook hebben ze toch wel het gevoel een deel

van hun jeugd gemist te hebben. *Gisteren zei ons Lotte: 'Mama, wij hebben echt een goeie jeugd gehad!' Ze waren lid van de scouts, gingen voetballen enzovoort. Op die manier jong kunnen zijn, en uitgaan en plezier maken. Ik zou dat nu niet meer willen, hoor, ik wil geen volwassen puber zijn! Maar toen hebben we dat wel wat gemist. De meeste van onze vrienden zitten nu met pubers, terwijl wij nu wat tijd inhalen met de vrijheid die we nu hebben. We proberen ook anderen te helpen. Zo ga ik om de twee weken met een autistisch jongetje wandelen. Dat ontlast zijn ouders en ik weet dat dat deugd doet. Voor ons was er niemand die af en toe eens zei: 'We zullen even overnemen...'* Deze goede raad vindt Eric cruciaal voor hun kinderen. *Dit willen we meegeven aan onze kinderen: zorg dat je regelmatig een dag of enkele uren hebt voor elkaar.* Zelf hebben ze immers veel moeten missen. *Je mist een stuk in je leven en die periode kun je eigenlijk nooit meer inhalen. Wij krijgen nu wel de ruimte en de tijd, onze kinderen zijn het huis uit en wij genieten nu van onze tijd samen, maar die periode van experimenteren, zoeken en leren... Wat Vic allemaal heeft ervaren doordat hij tien jaar later vader werd dan ik! Dikwijls heb ik gevoeld dat er te weinig tijd was voor mezelf. Er moest gewerkt worden en ikzelf kwam altijd op de laatste plaats omdat er geen geld of tijd meer was. Daarom hebben we onze kinderen gestimuleerd om ervaringen op te doen: 'Ga reizen, zet je niet meteen vast, doe dingen.'*

Ten slotte hebben ze nog een cruciale les geleerd: hoe jong je ook bent wanneer je mama of papa wordt, je bent meer dan louter ouder. *Ik vind het belangrijk dat jongeren die zwanger of ouder zijn, hun talenten kunnen blijven ontplooien. Vaak zie je dat ze zich beperken tot mama of papa zijn. Ze zouden tijd en ruimte moeten krijgen om uit het leven te halen wat erin zit. Wellicht komt die honger om te leren wel doordat we zo snel kindjes hadden. Ik had daar meer nood aan. We zijn in onze jeugd niet echt gestimuleerd om te studeren. Eric heeft het* ook zo gevoeld. *Ik was veertien jaar en ik deed vakantiewerk in een slagerij. De beenhouwer had iemand extra nodig. Mijn vader had dat in feite al geregeld. Hij zei: 'Ga jij wel echt nog graag naar school?' Ik had dan ook een herexamen. Als ik bij die beenhouwer in de leer ging, hoefde ik mijn herexamen niet te doen. Omdat ik dat werk graag deed, heb ik dat gedaan, maar dat was niet echt mijn keuze. Toen ik later ging solliciteren, vroegen ze hoe het kwam dat ik op veertienjarige leeftijd gestopt was met school, omdat ze aan de testen zagen dat ik wel mogelijkheden heb. Dat doet ergens wel pijn. Maar dat komt natuurlijk niet enkel door de geboorte van Vic.* Ze hebben naar andere manieren gezocht om zich te ontwikkelen, waarbij vrijwilligerswerk hun toevallig een heel nieuw perspectief bood. *Myriam volgde een opleiding als vrijwilligster van Tele-onthaal en onze therapeut zei toen: 'Eric, zorg dat je "mee" bent!' Eerst begreep ik niet wat hij daarmee bedoelde. Hij legde uit: ze gaat veranderen, ze gaat groeien. Ook ik moest anders gaan denken, anders gaan voelen... Myriam deelde telkens na een opleidingsdag haar ervaringen en we praatten daar dan verder over. Ik werd nieuwsgierig en ging die opleiding ook volgen. Later volgde Myriam nog een driejarige psychotherapeutische opleiding en toen zei die man weer: 'Zorg dat je terug mee bent!' Wat ik tot slot nog wil zeggen, is dat er meer aandacht moet zijn voor de vader. Ik heb het gevoel dat er zoveel aandacht is voor de vrouw en het kind, maar veel te weinig voor de vader, zowel tijdens de zwangerschap als na de geboorte. Als je alleen de tienermoeder verzorgt en begeleidt, zal het met haar wel goed gaan, maar dan gebeurt misschien hetzelfde met haar partner als wat Vic ervaren heeft als kind: opeens veranderen mijn ouders, wie zijn dat nu? Ook de partner moet meegroeien, ook hij heeft nood aan begeleiding en verzorging.* Myriam en Eric willen de jonge tienerouders van nu vooral meegeven dat zij hun eigen ontwikkelingskansen moeten blijven grijpen, al dan niet ondersteund door professionele begeleiding.

Ze hebben het niet makkelijk gehad, maar hun oudste zoon Vic die hen tot ouders gemaakt heeft, is wel fier op hen. Hun jonge leeftijd stoort hem niet. Integendeel, hij vindt het eigenlijk wel een voordeel. *Ik heb collega's van de leeftijd van mijn ouders of zelfs ouder, die vertellen: 'Mijn zoon dit of mijn zoon dat...' En dan vraag ik: 'Hoe oud zijn ze?' 'Twintig', is dan het antwoord. Dan zeg ik: 'Ik ben tien jaar ouder en mijn ouders zijn jonger dan u.' Ik vind dat altijd geestig om te zeggen. Dan zie ik ze rekenen. Ik denk dat ik pas vanaf het derde of vierde leerjaar besefte dat ik jonge ouders had. Als mijn vriendjes kwamen spelen, mochten we in de garage die altijd openstond en mijn moeder bood koekjes en drankjes aan en dat was alleen bij ons. Bij anderen bleven de ouders binnen, maar zij was meer betrokken, ze deed mee. Ik heb als kind eigenlijk niet echt gevoeld dat ik jonge ouders had. Mijn ouders hebben in ieder geval erg hun best gedaan om mij een goede opvoeding te geven, en mijn broer en zus ook. Het effect is een tien! Ik ben ook trots dat mijn ouders nog altijd samen zijn. Die relatie was een sterke basis: je moet het goed met elkaar eens zijn om samen een kind op te voeden. Elkaar rust gunnen, en tijd voor eigen hobby's hoort daar ook bij.* Zelf heeft hij nooit het idee gehad zich aan zijn ouders te spiegelen. *Ik werd zelf tien jaar later pas vader, dat is tien jaar langer leren en meemaken, met mensen praten, botsen en in crisissituaties zitten. Ik denk wel dat die wijsheid of rijpheid me beïnvloed heeft in hoe ik nu vader ben. Ik kan me dan ook niet voorstellen dat ik als tiener vader zou worden.* Myriam en Eric herkennen zich in Vics verhaal. *Ik was meer met spelen bezig dan met opvoeden en leunde daardoor wel dicht tegen zijn leefwereld aan, maar ik heb nu ook meer geduld en tijd voor mijn kleinkinderen. Ik heb ook enorm mijn best gedaan om niet kinderachtig, maar echt volwassen over te komen. En nu kan ik ook zien dat ik op bepaalde vlakken nog niet rijp genoeg was om een kind op te voeden. Begrenzen was bijvoorbeeld moeilijk voor me.* Desondanks zijn ze heel fier, op zichzelf, op elkaar en op hun kinderen!

Voor Myriam en Eric en ook voor Ellen en Mario is de cirkel haast rond. Voor onze andere tienerouders begint het avontuur pas. Wat zijn hun dromen? Waar kijken ze naar uit? Waar hebben ze angst voor?

Dromen over meer (geplande) kinderen

Of ze nog meer kinderen wensen, verschilt van de ene tienerouder tot de andere en is ook afhankelijk van hun toekomstperspectief met een eventuele partner. Amy heeft niet gewacht en heeft nu al bijna drie kinderen. Hoewel twee ongepland, waren ze alle drie gewenst! We zagen haar in haar verhaal groeien van jong meisje tot jonge zelfbewuste vrouw. *Nu voel ik me ook geen 'tienermoeder' meer, ook al ben ik nog maar negentien jaar. Vermoedelijk heeft dit te maken met het feit dat ik niet meer naar school ga en ook niet meer in het uitgaansmilieu vertoef. Met twee kinderen was ik al een ervaren moeder, dus een derde erbij zal enkel wat drukker zijn. Na de geboorte zal ik me laten steriliseren. Meer dan drie kinderen zie ik niet zitten en dan kan een ongeplande zwangerschap me ook niet opnieuw overkomen. Dan ben ik gerust.*

Voor Evelien en Hendrik is dit nog toekomstmuziek, maar wel iets waar ze al over praten. Evelien wil bewust meer kinderen, maar Hendrik is niet helemaal overtuigd. Uit hun verhaal blijkt hoe hij meer moeite heeft met de beperking van zijn vrijheid die het ouderschap met zich meebrengt, terwijl het voor Evelien allemaal veel natuurlijker aanvoelt. *Ik wil er meer, maar Hendrik is het daar niet mee eens.* Zoals hij zelf aangeeft: *Ik weet niet of ik dat nog eens wil, die fase meemaken van niet kunnen doorslapen en dat geween... Ik wil geen kinderen meer en ik denk wel dat dat zo zal blijven.* Maar Evelien laat de mogelijkheid open dat dit nog kan veranderen. *Ik denk dat dat kan veranderen als Xavier ouder is, of misschien als wij ouder zijn. Ik ken mensen die op hun vijftiende zeggen: 'Ik wil nooit kinderen.' Maar als ze werken, zeggen ze toch: 'Nu kunnen we misschien voor een kindje gaan.* Voor hen is het nu ook geen punt van discussie. Momenteel gaat hun aandacht immers naar het afmaken van hun opleiding, waarna ze willen gaan samenwonen. *We wonen nog niet samen, omdat we eerst onze studies wilden afmaken en we moeten allebei nog minstens twee jaar. Eerst hierop focussen, daarna zien we wel. Maar binnen vijf jaar wonen we zeker samen en dan gaan we samen zorgen voor Xavier. Voorlopig is er ook geen kinderwens meer, maar als er een kindje bij zou komen, dan is dat ten vroegste over vijf jaar.* Als ze het bij één kind houden, zullen ze, gezien hun leeftijd, sneller hun vrijheid terughebben, bedenkt Hendrik. *Als Xavier achttien is, kunnen wij gemakkelijker zeggen dat we een avond alleen de deur uit gaan. Met 34 jaar kun je nog altijd goed uitgaan. Dus het heeft zijn voor- en nadelen. Het is nu moeilijker, maar jong ouder en waarschijnlijk ook jong grootouder zijn, lijkt me dan weer gemakkelijker. Papa is nu ook nog een jonge opa. Hij was 33 toen ik geboren ben. En hij was 50 toen Xavier geboren is. Dus hij is ook jong opa, terwijl hij later vader is geworden. Hopelijk worden we zelf geen te jonge grootouders.* Evelien is wel zo realistisch te beseffen dat ze nooit meer kinderloos zullen zijn. *Enfin, het is nooit gedaan; kinderen heb je voor je leven. Als Xavier achttien is, zal ik 34 zijn. Dat is de leeftijd waarop de meeste mensen pas aan kinderen beginnen. Ik heb een vriendin die nu al heel graag kinderen wilde. Ik heb toen gezegd: 'Neem Xavier maar mee voor een weekendje en kijk eens hoe dat loopt. Denk dan eens na.' Ze heeft toen besloten even te wachten.* Toch menen ze dat ze ook wel geluk hebben gehad: de steun van de familie biedt hun de mogelijkheid om aan hun toekomst te bouwen zoals ze dat anders wellicht ook zouden hebben gedaan. *Wij hebben het geluk gesteund te worden door onze omgeving zodat we nog altijd een toekomst hebben,* zodat we onze studies niet hoeven op te geven omdat we een kind hebben. Idealiter ben je minstens een paar jaar aan het werk of woon je op jezelf. Daartegenover staat dat ik wel eerder zou aanraden om jong ouder te worden dan te wachten tot je veertig bent. Hendrik beaamt: *In het begin is het wel moeilijk, maar hoe ouder een kind wordt, hoe meer je ook samen kunt doen. Als jonge vader en 'oude' zoon, zeg maar. Ik zou aanraden om tussen 20 en 28 jaar vader te worden. Ik zou zeker adviseren om eerst je school af te maken alvorens aan kinderen te denken. Wij zijn blij dat we nog verder kunnen studeren, want als je geen steun hebt van je ouders, moet je wel gaan werken. Je hebt immers geld nodig. Maar wij hebben geluk met onze vaders.*

Hoe pril hun relatie nog is en hoewel voor hen de uitdaging van het ouderschap nog echt moet beginnen, zijn Pauline en Joeri er allebei van overtuigd dat ze meer kinderen willen. *Mijn toekomstdroom is heel gewoon. Ik zou later twee kinderen willen hebben met mijn nieuwe vriend, dat is dus drie in totaal. En een huis – liefst een eigen huis – en een job waarbij ik me goed voel. Simpelweg een gelukkig gezin.* Joeri droomt hetzelfde: een eigen huis en kinderen. Pauline merkt op: *Hij wil later ook twee kinderen van zichzelf hebben,* maar hij repliceert heel gevat: *Maar dit kind is ook van mij, hoor.* Ook Pauline beschouwt hem als volwaardige vader. *Hij is niet de biologische papa, maar hij heeft wel de zwangerschap meebeleefd en gaat het kind opvoeden. Het komt misschien niet uit zijn celletje, maar de opvoeding maakt de vader. Ik zou het kind later niet verbieden te vragen naar zijn echte vader. Ik zou het nooit verzwijgen, maar er wel zo lang mogelijk mee wachten om het te zeggen. Ten vroegste op zijn twaalfde, als hij in het middelbaar onderwijs zit, en de puberteitsproblemen nog niet te erg zijn. Ik heb ook bewust de foto's van mij en mijn ex bewaard, en ook sommige spullen die ik van hem gekregen heb. Tenslotte blijft het wel zijn kind. Als het kind er dan later naar zou vragen, kan ik zeggen dat ik nog iets heb. Anders komt het wel erg ongevoelig over tegenover het kind, het blijft immers zijn vader.*

De meeste tienerouders blijken dus wel een wens voor een tweede of derde kind te hebben, wat bevestigd wordt door de stijgende trend van een tweede of derde zwangerschap op tienerleeftijd.

Dromen over financiële zekerheid

Aangezien financiële zorgen een van de belangrijkste uitdagingen is waar tienerouders voor staan, dromen ze haast allemaal van een zekere toekomst. Ellen wil hierover als ervaringsdeskundige wel wat zeggen. *Onze Cédric koopt graag spullen en zou blijven kopen. Ik zeg dikwijls te snel, maar goed bedoeld: 'Cédric, dat mag je niet doen.' Dat komt doordat ik dat zelf heb meegemaakt. Mario zegt dan: 'Ellen, wij weten wat het is om niets te hebben, maar apprecier nu wat je hebt.' En dat vind ik weleens moeilijk; ik heb vriendinnen, die hebben nu pas kinderen, zo oud als onze twee jongsten. Ik heb wel nog contact met vriendinnen die mijn zwangerschap meemaakten als klasgenoten van me. Maar niet met vrienden die we toen samen hadden, van die vriendschapsbanden is niets meer over, zoals van de voetbalvrienden van hem met wie we samen naar het café gingen. Maar die vriendinnen van school, met hen heb ik dus nog wel contact. Zij hebben nog verder gestudeerd, voor verpleegster of opvoedster, en bovendien hebben ze nog heel lang thuis gewoond, om geld te sparen voor een nieuw huis. Maar ik weet niet of dat goed is, want ik hoor dat ze veel luxeproblemen hebben. En dan word ik bang dat onze kinderen ook zo worden, daarom mogen ze niet zomaar alles hebben wat ze willen. Dat probeer ik hun toch bij te brengen.*

Het is markant hoe hun dromen verschuiven van zichzelf naar hun kinderen, al dromen zij natuurlijk van een financieel zekere toekomst voor zichzelf én hun kinderen. Geld maakt niet gelukkig, maar het helpt wel. *Ik zou niets veranderen aan hoe het toen* gelopen is, stelt Marie. *Momenteel zijn er maar twee zaken die we liever anders zouden zien: het financiële en de ziekte van Lennert.* Carlo beklemtoont hoe moeilijk het is met Lennert. *Alles hangt uiteindelijk aan Lennert vast. Als Lennert niet ziek geworden was, hadden we ook geen financiële problemen gehad, hadden we ook niet de andere problemen gehad waar we nu in zitten. Doordat Lennert ziek werd, kwam er thuisbegeleiding en toen pas is de bal gaan rollen... Ons huis werd onbewoonbaar verklaard omdat het niet goed was voor Lennert; we hebben kosten omwille van zijn gezondheid waarvoor we zelfs een lening aangegaan zijn, zodat we nu in schuldbemiddeling zitten om die lening terug te kunnen betalen. Maar je doet alles voor je kind. Je spaart zelfs het eten uit je mond, de kinderen gaan voor. Als ik toen geweten had wat ik nu weet, dat het voor een deel mijn schuld is, dan was Lennert er nooit geweest. Dan had ik gezegd: er komt geen tweede, het risico is te groot. Maar hij is er nu en we zullen hem wel groot krijgen, al is het met de nodige problemen. De toekomst zal een vraagteken blijven, want het is leven van dag tot dag. Gelukkig dat die twee jongens van ons er nog zijn, want ik denk dat we er anders allebei allang aan onderdoor waren gegaan. En de nabije toekomst is nu: verhuizen, voor de zoveelste keer in een paar maanden.* Ze hopen echter dat de verhuizing wat verlichting zal bieden. *We hebben bewust gekozen voor een huis met drie slaapkamers. Lennert is heel dominant en verdrukt Matteo die zijn broer dan niet meer wil zien. Daarom is het voor ons heel belangrijk dat we drie slaapkamers hebben, omdat we ze dan uit elkaar kunnen halen en omdat ze dan kunnen spelen. Ik hoop ook dat we daar wat rust gaan vinden, want we worden nu zo opgejaagd door allerlei instanties, zoals het ocmw. Dat zegt dat we dringend uit ons huis moeten, want het is een crisiswoning. Plots werd ons huis onbewoonbaar verklaard en hadden we een paar uur de tijd om te verhuizen. Maar dat was een speelzaal voor de kinderen die vol met speelgoed stond, met een ballenbad. Hier is er amper iets. Daar hebben de kinderen erg onder te lijden gehad. Er* is veel speelgoed weg en we hebben veel aan goede doelen weggegeven, zoals kleding. De kinderen zijn een klein beetje slachtoffer van de hele situatie. We hopen dat het gauw beter gaat.

Dromen over een diploma

Een mogelijkheid om twee dingen te combineren, namelijk jezelf ontplooien en kansen creëren om uit de financiële problemen te geraken, is de studies opnieuw oppikken. Maar met een gesetteld leven is dat niet zo vanzelfsprekend. *Aan verder studeren dacht ik niet, nu soms wel. Ik weet niet of ik dat zou volhouden of aankunnen. Ik denk eraan om verpleegster te worden, maar omdat Lennert zo vaak ziek is en die opleiding best zwaar is, weet ik niet of het allemaal te combineren is, dus ik wacht nog even af.*

'Als de kinderen groter zijn, dan...' is een opvallend veel gehoorde uitspraak tijdens onze interviews. De kinderen worden prioriteit nummer één, maar de ouders kijken ook uit naar de realisatie van hun toekomstdroom om opnieuw of verder te gaan studeren als hun kinderen minder van hen afhankelijk worden. Hun besef over het belang van een diploma groeit, zelfs als ze ooit uit schoolmoeheid van school afhaakten of vóór hun zwangerschap geen carrière-ambities hadden. Ze dromen van een goedbetaalde en boeiende job. Daarmee willen tienerouders zowel hun eigen kansen op zelfontplooiing als de toekomstkansen voor hun kinderen vergroten.

Verder studeren, gaan werken of huismoeder worden? Zwangerschap of ouderschap op jonge leeftijd doorkruist de toekomstplannen; die worden meestal uitgesteld en soms ook afgesteld. Eerder bleek dat de tienermoeders soms ook in staat zijn tot 'multitasking' (school of werk in combinatie met ouderschap) – als er steun van thuis is. Ook schoolafhakers, zoals Elien, blijken opnieuw van een opleiding te dromen. *Voor mijn zwangerschap zei ik altijd dat ik zou stoppen met school als ik achttien was. Nu ik mijn zoontje heb, ben ik een heel stuk volwassener en verstandiger geworden en heb ik besloten om nog drie jaar naar school te gaan zodat ik mijn diploma haal! Mijn zoontje is ondertussen al drie maanden en ik heb nog geen enkele seconde spijt, wat niet wil zeggen dat het niet lastig is! Want dat is het zeker. Zelf raad ik het geen enkel tienermeisje aan, ook al ben ik zelf dolgelukkig met mijn gezin. Als ik het allemaal van tevoren had geweten, had ik er toch wel beter op gelet dat ik mijn pil altijd nam. Een baby is lief en zacht en zo mooi, teder en klein. Maar er komt van alles bij, zoals 's nachts om de drie uur opstaan, een huilbui van soms wel twee uur aan een stuk, niet meer kunnen gaan en staan waar je wilt. Meisjes moeten echt bedenken: een kind heb je niet voor even, maar voor heel je leven.*

Amy ging voor het huismoederschap, wat niet wil zeggen dat ze haar droom niet meer wil waarmaken. Ze wil vroedvrouw worden en hoopt zo ook op een betere toekomst voor haar kinderen. *Nu ben ik thuis en voornamelijk met de kindjes bezig. Misschien start ik volgend jaar wel met tweedekansonderwijs. Maar ik zou niet willen dat de kindjes naar iemand anders dan hun nieuwe papa of hun eigen papa moeten door mijn opleiding. Sinds mijn zwangerschap is het mijn grote droom om vroedvrouw te worden. Daarom moet ik zo snel mogelijk mijn diploma secundair onderwijs proberen te behalen. Vroedkunde interesseert en fascineert mij echt enorm. Bij mijn tweede bevalling wisten de vroedvrouwen er soms zelfs minder van dan ik. Ik wil zeker niet gaan werken voor ik een diploma heb. Anders moet ik een lager beroep kiezen, waar ik misschien niet meer uit geraak. Ik wil mijn kindjes gewoon een mooie toekomst bieden en daar heb ik een goedbetaalde job voor nodig, want drie tieners opvoeden kost veel geld.*

Pauline en Joeri maken ook volop toekomstplannen, vooral met betrekking tot school en werk. *Mijn ouders hebben een tweede huis, een rijtjeshuis, en daar gaan we eind 2011 samenwonen. Omdat ik een kind krijg, mag ik daar gaan wonen met mijn vriend en niet iemand anders. Anders hadden ze het verhuurd en konden ze er winst op maken. Nu betalen wij huur aan mijn ouders, maar die ligt een stuk lager zodat we dat financieel aankunnen. Misschien ga ik in september opnieuw naar school, maar alleen als ik een leefloon kan krijgen terwijl ik studeer. Dan doe ik mijn laatste jaar om mijn certificaat als zorgkundige te behalen. Anders ga ik voltijds werken waar ik nu al deeltijds werk. Ik werk in het ziekenhuis als logistiek assistente. Ik heb nu ook al een inkomen van 800 euro per maand uit deeltijds werken en als hij voltijds werkt, dan komen we wel rond. Eigenlijk wilde ik al sinds ik dertien of veertien was op mijn achttiende het huis uit gaan. Die planning was er dus al, maar de zwangerschap heeft er voor gezorgd dat dit nu ook werkelijk gebeurd is. Anders had ik misschien nog een jaar extra school gedaan. School was zwaar voor mij, dus daarop heeft het niet zo'n grote invloed gehad.* Officieel is Joeri niet meer leerplichtig, maar als hij de kans krijgt, wil hij verder studeren omwille van het belang van het diploma. *Ik was niet van plan om verder te studeren. Ik zit nu in mijn laatste jaar deeltijds onderwijs, maar ga daarna misschien nog een jaar naar school. De school beslist welke leerlingen in aanmerking komen om in één jaar in plaats van in twee jaar het diploma houtbewerker te behalen. Als ik die kans krijg, studeer ik verder, want dat diploma is veel waard. Anders ga ik voltijds werken.* Pauline hoopt dat hij die kans krijgt en zal hem volledig steunen. *Als hij die kans krijgt, moet hij dat ook echt doen! Zelfs al zou hij dan een deeltijds loon hebben omdat hij twee dagen naar school moet. Ik heb immers ook een deeltijds of voltijds loon en dan komen we nog altijd rond.*

Van de minderjarige, dus leerplichtige, Vlaamse tienermoeders geeft 54 procent op student te zijn bij aangifte van haar kind. Bijna 10 procent werkt en 40 procent is niet actief. Van de meerderjarige Vlaamse tienermoeders geeft slechts 10 procent op student te zijn. De meerderheid (43%) is werkloos of heeft geen beroep (29%). Bijna de helft van deze groep is niet in het bezit van een diploma hoger middelbaar onderwijs. Vlaamse tienermoeders behoren driemaal zo vaak als andere tieners tot de beroepsbevolking en ze zijn dubbel zo vaak werkloos. Slechts 20 procent van de jonge moeders zonder einddiploma is student. De meeste van de behaalde diploma's (zowel lager als hoger middelbaar) zijn beroepsdiploma's. Van de vaders van Vlaamse kinderen van tienermoeders heeft 40 procent geen diploma hoger middelbaar.

Uit onderzoek van de Wereldgezondheidsorganisatie blijkt ook dat tienerzwangerschap risico's inhoudt op laaggeschooldheid, slechte fysieke en mentale gezondheid, armoede en sociale isolatie voor moeders en hun kinderen. Toch kan tienermoederschap ook een gunstig effect hebben op de verdere levensloop. Zo bleek uit een kwalitatief onderzoek in het Verenigd Koninkrijk over de positieve ervaringen van tienermoeders dat voor sommige tienermoeders het moederschap een stimulans geweest is om te veranderen van richting en een carrière te overwegen, omdat ze plots iemand hadden voor wie ze verantwoordelijk waren. Deze meisjes zagen in dat ze nog altijd jong genoeg waren om een hogere opleiding te beginnen of een job te zoeken als hun kinderen opgroeiden. Deze conclusies zien wij bevestigd in onze verhalen. Veel van de geïnterviewden worden als het ware vastberadener om zich in te zetten voor hun studies, juist omdat ze kinderen hebben.

Dromen over een
(nieuwe) partnerrelatie

De verhalen over het ontstaan en de ontwikkeling van de relatie tussen de tienerouders zijn heel verschillend. Stuk voor stuk zijn ze uniek. De gevolgen en perspectieven zijn dan ook heel uiteenlopend. Sommigen kunnen zich – althans nu – niet voorstellen bij een nieuwe partner te zijn. Zo ziet Roos wel een toekomst voor zichzelf en haar zoon, maar een nieuwe partner past daar niet in. *Ik heb niet echt een ideaal toekomstbeeld voor mij met een man. Mannen lopen in de weg, je kunt niet meer doen wat je wilt, wat ik nu wel kan. Ik heb er gewoon geen zin meer in.* Ook Sarila vindt haar relatie met de vader van haar kinderen, of juist de afwezigheid daarvan, bepalend voor haar toekomst en die van haar kinderen. *Ik wil niet dat mijn kinderen zoals hun vader worden. Ik heb ook fouten gemaakt en ik zeg niet dat hij altijd slecht was en ik goed. Maar ik was nog te jong en hij was ouder, dus hij had mijn fouten moeten kunnen verbeteren. Ik moest altijd luisteren naar hem, maar hij luisterde niet naar mij.* Hoe moeilijk en zwaar het ook is, ze heeft er veel uit geleerd. *Ik zal me nooit meer zo afhankelijk opstellen, ik wil op mijn eigen benen staan. Ik weet nu beter wie ik ben en wat ik wil. Als ik naar de toekomst kijk, ben ik liever alleen dan met hem. Diep in mijn hart hou ik nog van hem, maar mijn verstand zegt dat het nooit goed zal komen. Ik kan beter voor mijn kinderen kiezen. Ze zouden bij ons als koppel toch alleen maar het slechte voorbeeld te zien krijgen. Hij leert mijn kind vuile woorden aan. Ali zegt nu al in het Turks 'trut' tegen mij.* Voor haar kinderen wil ze alleen het beste en haar relatie met hun papa is zo slecht dat ze denkt dat het beter is als ze hem niet meer zien. *Ik wil dat mijn kinderen echt een goed leven hebben, een mooie toekomst, want ik heb voor hen gekozen. Eigenlijk wil ik dat ze nooit in contact komen met hun vader.* De toekomst valt natuurlijk nooit te voorspellen en deze bedenkingen zijn geformuleerd in het heetst van de strijd. Wie weet hoe ze er over tien jaar over denken? Misschien zoals Ellen die zich gelukkig prijst. Ze heeft in Mario, ondanks hun prille relatie, een betrouwbare vader en partner gevonden. *Voor hetzelfde geld was Mario een heel andere persoon, was hij eropuit getrokken en was ik alleen met onze Cédric achtergebleven. En wat dan? Dat besef ik maar al te goed. Als ik echt kon kiezen, zou ik met Mario een relatie hebben en de normale weg gaan. Dus trouwen, dan een huis en dan pas kinderen. Dus eerst een kot, dan pas de varkens. Iedereen van nu mag in mijn ideaalbeeld aanwezig zijn, maar de volgorde zou anders zijn. Maar wie weet, misschien hadden we dan als koppel niet zo sterk gestaan als nu.*

Hannelore ten slotte mocht de vader van haar nichtje niet en was meer bezorgd over die relatie dan over het kind zelf. Ze was dan ook opgelucht toen de relatie stopte. Dat gaf haar de mogelijkheid om de draad met haar zwangere zus weer op te pikken. Over de nieuwe vriend is ze wel enthousiast. *Ik denk wel dat ik met een gerust hart naar haar toekomst mag kijken. Mijn zus heeft een nieuwe vriend. Hij is een stuk ouder: 26 à 27 jaar en hij heeft zelf ook drie kindjes, één van vier jaar en een tweeling van rond de drie jaar. Als het blijft goed gaan, zou mijn zus over een half jaar weleens kunnen verhuizen. Vanaf het moment dat ze gaat samenwonen, zal ze ook wel iets zoeken om voltijds te kunnen werken. Ik zie dat wel goed komen. Dan heeft ze een echt gezinnetje, want Luna noemt de vriend van mijn zus nu al 'papa'. Gisteren moest mijn zus gaan werken en kwam er spontaan uit haar mondje: 'mama papa gaan halen'.*

Tienerouders dromen als tieners
én als ouders

Vraag aan een doorsnee-ouder wat hij of zij wenst voor de toekomst en je kunt verwachten dat het over een huis, financiële zekerheid, een goede gezondheid en gelukkige kinderen gaat. Bij tieners is dat niet anders. Uit onderzoek blijkt immers dat jongeren tussen de twaalf en dertig jaar – net als de jongeren die wij interviewden – vrij traditioneel dromen. Tot 'het ideale leven' behoort volgens de Vlaamse jeugd een eerste seksuele ervaring op 17 jaar, een eerste kind op 26 jaar en een laatste kind op 33 jaar. Afstuderen en een eerste werkervaring willen ze het liefst op 22 jaar, het ouderlijk nest verlaten en financieel op eigen benen staan op 23 jaar, samenwonen op 24 jaar en een eigen huis op 26 jaar. In het algemeen willen meisjes alles ongeveer een jaar vroeger dan jongens. In werkelijkheid heeft 'de jeugd van tegenwoordig' een eerste seksueel contact gemiddeld op de leeftijd van vijftien jaar, gaan ze een jaar vroeger samenwonen en beginnen ze ook een jaar vroeger aan kinderen.

Dezelfde tendens zien we bij tienerouders. Als de ooievaar dus vroeger komt dan in het ideaalbeeld, heeft dit geen invloed op het toekomstperspectief van de betrokken jongeren en hun kinderen. Hoe gelukkig jongeren zijn, heeft vooral te maken met de mate waarin ze vertrouwen hebben in hun toekomst. Goede relaties met ouders of familie zijn hierin een positieve factor, evenals financiële armslag in een gezin. Ook werk wordt gerelateerd aan geluk; werkloze jongeren hebben een heel negatief toekomstbeeld.

Bij een jonge zwangere, moeder of vader komt dit toekomstbeeld in het gedrang. Een kind doorkruist immers de toekomstplannen. Maar een verstoring van deze toekomstplannen betekent voor de geïnterviewde tieners niet dat ze het gevoel hebben dat hun leven geruïneerd werd. Dat vooroordeel horen we al te vaak. Een kind wordt integendeel door de meisjes, jongens, vrouwen en mannen die ons hun verhaal deden, ervaren als een kans op een nieuwe toekomst. Ze geven aan dat ze de volgorde kind – huis – studie – job liever anders gezien hadden en dat ze een stuk jeugd gemist hebben, maar delen het gevoel dat ze de juiste keuze hebben gemaakt door het kind te krijgen. Sommigen kregen zelfs als het ware een duwtje om hun leven op orde te stellen en uit te zoeken wat ze echt willen doen. Hoewel sommigen echt wel (financiële) problemen kennen of gekend hebben en zich erg moesten aanpassen, hebben ze in het algemeen het gevoel dat dit het waard was. Daarmee willen we niet voorbijgaan aan meisjes of vrouwen die de voor hen juiste keuze maakten om hun kind niet geboren te laten worden of misschien wel spijt hebben van hun keuze om hun kind te houden, met alle negatieve gevolgen van dien voor die ouders en dat kind...

De mensen in ons boek beschrijven dat het hebben van een kind hen veranderd heeft en hen stimuleerde om te groeien. In sommige gevallen willen ze op zo'n manier hun kind(eren) zorg bieden die ze zelf nooit ervaren hebben. Ze zijn tegelijkertijd ook realistisch over hun verantwoordelijkheden. Sommigen willen fulltimemoeder zijn terwijl de kinderen jong zijn, maar dit betekent niet dat zij geen toekomstplannen hebben. Het is vooral van hen dat wij kunnen leren om te hopen, hoop op een mooie toekomst voor zichzelf en hoop voor het kind dat ze koesteren!

NAWOORD: VAN TIENER NAAR VOLWASSENE IN NEGEN MAANDEN?

Tieners zijn niet in staat om kinderen op te voeden. Ze zijn immers té egocentrisch en denken alleen aan de korte termijn. Een duurzame relatie met een partner van wie ze na enkele maanden al zwanger zijn, kan niet standhouden. Ze vergooien hun toekomst en die van hun kroost, want studeren zit er niet meer in. Financiële moeilijkheden zijn te voorspellen. Ze storten zich in een avontuur, ondoordacht en zonder een bewuste keuze te maken. Dit zijn maar enkele van de vooroordelen die er leven over zwangere tieners en tienerouders. Onze verhalen bevestigen een aantal van deze ideeën: er zijn inderdaad tienerrelaties die niet standhouden, ook al delen ze samen een kind. Het is inderdaad niet makkelijk om te studeren wanneer je al voor kinderen moet zorgen. Tienerouders hebben het verder vaak moeilijk om de financiële eindjes aan elkaar te knopen. Het verlies aan vrijheid wordt soms als een gemis ervaren en ze storten zich ook in een avontuur waarvan ze niet weten wat hun te wachten staat. Maar gelden niet heel veel van deze zaken ook voor volwassenen? Hoeveel relaties van volwassenen eindigen niet in een scheiding? Hoeveel volwassenen moeten niet wennen aan de ingrijpende verandering in hun leven die een spruit met zich meebrengt en vragen zich niet – al is het maar af en toe –af wat het leven zou zijn zonder deze verantwoordelijkheid? Wie kan er echt inschatten wat dat nieuwe leven allemaal teweegbrengt? Dat is bij tienerouders echt niet zo verschillend. Bovendien gelden niet al deze aspecten voor alle tieners: er zijn wel relaties die standhouden, ook al was de relatie bij de vaststelling van de zwangerschap nog pril. Er zijn wel tieners die afstuderen en velen van hen dromen om dat alsnog te realiseren. Niet alle tieners ervaren het verlies van hun vrijheid als een hoge prijs voor hun nieuwe verantwoordelijkheid. En allen geven aan bewust voor hun kindje te hebben gekozen, zelfs de ongeplande zwangerschappen belemmeren niet dat het kindje heel gewenst is.

De meeste tienerouders voelen zich bij het nieuws van de zwangerschap erg jong, in de zin van niet 'klaar' zijn voor alle verantwoordelijkheden die het ouderschap met zich meebrengt, maar later normaliseert dit gevoel zich en willen ze vooral – net als andere mama's – gewoon als volwaardige 'mama' of ouder beschouwd worden. Gedurende negen maanden en meer groeien ze van tiener naar volwassene. Tegelijkertijd zoeken ze begrip – geen veroordeling – voor het feit dat die jonge mama wel jong blijft. Want ze blijven – althans voor nog even – ook wel tiener en zijn op zoek naar begrip hiervoor. Een open in plaats van veroordelende houding van de directe omgeving en de buitenwereld zou hen ondersteunen. Wanneer zij zich aanvaard weten, zullen zij zichzelf ook kwetsbaar durven tonen en op hun beurt meer hulp aanvaarden door het vertrouwen en de groeikansen die ze ervaren in plaats van zichzelf steeds zelfstandig te willen bewijzen. Het doorbreken van bestaande taboes is daarvoor een voorwaarde en hopelijk kan dit boek daartoe bijdragen. Ondanks de moeilijkheden en uitdagingen waar tienerouders voor staan, is het mooi te merken dat ze niet het gevoel hebben iets belangrijks te verliezen, maar dat ze eerder het gevoel hebben iets gewonnen te hebben, dat ze de meerwaarde van hun kind voor henzelf benoemen. Het maakt hen niet alleen verantwoordelijk en 'volwassen' in negen maanden, maar het schenkt hun ook een diepe vreugde.

Toen ik hoorde dat ik zwanger was van jou, kon mijn geluk niet op!
Toen jullie papa mij verliet, stortte mijn wereld in, maar ik herpakte me weer voor jou!
Toen jij geboren werd, huilde ik van geluk, maar ook omdat ik bang was. Hoe moest ik dit allemaal alleen klaren?
Nu, drie jaar later zou ik opnieuw kunnen huilen.
Niet omdat ik nog bang ben, maar enkel omdat ik supertrots ben op jou!

NUTTIGE ACHTERGROND-INFORMATIE

CIJFERS EN ANALYSE OVER TIENERZWANGERSCHAP EN TIENEROUDERS

De concrete cijfers over tienerzwangerschap en tienermoeders worden afgeleid uit gegevens van volgende bronnen:

- **ALGEMENE DIRECTIE STATISTIEK EN ECONOMISCHE INFORMATIE**: jaarlijkse statistieken van het federaal onderzoeksbureau geven inzicht in de exacte cijfers en ontwikkelingen inzake geboortes en vruchtbaarheid. *http://economie.fgov.be/nl/statistieken/cijfers/bevolking/geboorten_vruchtbaarheid.*

- **STUDIECENTRUM VOOR PERINATALE EPIDEMIOLOGIE**: jaarlijkse rapportage over perinatale gegevens met betrekking tot alle ziekenhuisgeboorten in de Vlaamse kraamafdelingen (inclusief Algemeen Ziekenhuis van de Vrije Universiteit Brussel) en de meeste thuisbevallingen. Voor het jaarrapport over 2010: *http://www.zorg-en-gezondheid.be/uploadedFiles/NLsite_v2/Cijfers/Cijfers_over_geboorte_en_bevalling/SPE_jaarrapport%202010.pdf.*

- **RAPPORT VAN DE EVALUATIECOMMISIE ZWANGERSCHAPS-AFBREKING** (inzake de abortuswet van 1990): tweejaarlijkse rapportage over zwangerschapsafbreking in België, waaronder zwangerschapafbrekingen bij tieners jonger dan 20 jaar. Voor het tweejaarlijkse rapport voor de periode 2008-2009: *http://www.health.belgium.be/filestore/19065636/volledig%20 verslag%20zwangerschapsafbreking%202010.pdf.*

- **BLOG *TIENERZWANGERSCHAP ONDERZOCHT*** van Marjolijn De Wilde, onderzoekster aan het Centrum voor Sociaal Beleid (Universiteit Antwerpen): toegankelijke analyse van de cijfers omtrent tienerzwangerschap en tienermoederschap, evenals reflecties over thema's met betrekking tot het domein van zwangere tieners en tienerouderschap: *www.tienerzwangerschap.blogspot.com.*

ADRESSEN INZAKE SPECIFIEKE HULPVERLENING VOOR ZWANGERE TIENERS, TIENEROUDERS EN OMGEVING

- **CENTRUM VOOR RELATIEVORMING EN ZWANGERSCHAPSPROBLEMEN (CRZ)**
Zwangere tieners, tienerouders en hun ouders kunnen bij het cRZ terecht voor een beslissingsgesprek over het verdere verloop van de zwangerschap of voor een begeleidingsgesprek. Ook voor eventuele individuele nazorg na een abortus kunnen tieners een beroep doen op het cRZ. Daarnaast zijn ondersteunende (lotgenoten)contacten mogelijk via de facebookpagina *cRZ Jong en Ouder*, de organisatie van ontmoetingsmomenten en een jaarlijks tienermoeder- of tienerouderweekend.

Naast deze omkadering van het cRZ zijn er uiteraard de gespecialiseerde diensten inzake pleegzorg, adoptie, abortus en centra voor integrale gezinszorg:

PLEEGZORG

Voor meer achtergrondinformatie over de verschillende vormen van gezinsondersteunende pleegzorg en voor een adres in jouw buurt:

- **PLEEGZORG VLAANDEREN**
  Ravenstraat 98, 3000 Leuven
  tel. 070/22 03 00 – info@pleegzorgvlaanderen.be
  www.pleegzorgvlaanderen.be

ADOPTIE

Kind en Gezin erkent vier binnenlandse adoptiediensten in Vlaanderen die tevens instaan voor de begeleiding van afstandmoeders, namelijk De Mutsaard voor de regio's Antwerpen, Vlaams-Brabant en Limburg, Gewenst Kind voor de regio Antwerpen, het Gents Adoptiecentrum en de Adoptiedienst Sociaal Centrum Visserij voor de regio Oost-Vlaanderen en de Adoptiedienst Stedelijk Ziekenhuis Roeselare voor de regio West-Vlaanderen. Voor achtergrondinformatie over de adoptieprocedure en voor een adres in jouw buurt:

- **KIND EN GEZIN**
  Hallepoortlaan 27, 1060 Brussel
  tel. 02/533 12 11 – info@kindengezin.be – www.kindengezin.be

ABORTUSCENTRA

Voor achtergrondinfo over de procedure van een abortus en adressen van de Nederlandstalige abortuscentra, verenigd in de koepelorganisatie Luna: www.abortus.be.

Ook volgende abortuscentra bieden eenzelfde hulpverlening, maar maken geen deel uit van de koepelorganisatie: www.centrumdurmelaan.be en www.labyrint-zna.be.

Daarnaast kun je terecht in bepaalde ziekenhuizen met een abortushulpverlening.

CENTRA VOOR INTEGRALE GEZINSZORG

Voor ambulante begeleiding en residentiële opvang van alleenstaande (tiener)moeders of koppels, samen met hun kinderen:

- **CIG VOGELZANG**
  Vogelzanglaan 44, 1150 Brussel
  tel. 02/660 58 70 – vogelzangadm@tiscali.be

- **CIG HUIS TER LEYE**
  Doorniksesteenweg 207-209, 8500 Kortrijk
  tel. 056/22 20 51 – huisterleye@scarlet.be

- **CIG TAMAR**
  Vlasstraat 51, 3920 Lommel
  tel. 011/54 04 20 – tamar@skynet.be

- **CIG DE MERODE**
  Lichtaartsebaan 102, 2460 Kasterlee
  tel. 014/85 25 36 – cig.demerode@terloke.be

- **CIG BZN DE STOBBE**
  Julius De Geyterstraat 57, 2020 Antwerpen
  tel. 03/260 68 60 – de.stobbe@tiscali.be

- **CIG TEN ANKER**
  Dorpsstraat 70, 8420 Klemskerke (De Haan)
  tel. 059/23 46 78 – tenanker@skynet.be

ANDERE NUTTIGE CONTACTGEGEVENS

- **VEILIG VRIJENLIJN**
  Voor informatie over anticonceptie, hiv, seksueel
  overdraagbare aandoeningen enz.
  Van maandag tot vrijdag tussen 14.00 en 17.00 uur.
  tel. 078/15 15 15
  Een initiatief van Sensoa: www.sensoa.be.

- **TELE-ONTHAAL**
  24 uur per dag telefonisch praten over alles wat je bezighoudt,
  ook over relaties.
  tel. 106
  Via de website is ook anoniem online chatten mogelijk:
  www.tele-onthaal.be.

- **CENTRA VOOR ALGEMEEN WELZIJNSWERK**
  Het CAW staat open voor iedereen met vragen en problemen.
  De hulpverlening is vertrouwelijk, gratis en vrijwillig. Je kunt er
  o.a. terecht voor psychosociale ondersteuning en intrafamiliale
  bemiddeling. Voor een adres van een CAW in jouw buurt:
  tel. 078/150 300 of www.caw.be.

- **JONGERENADVIESCENTRA** binnen de Centra Algemeen Welzijnswerk.
  Voor informatie, advies en hulp aan jongeren tussen 12 en 25 jaar over uiteenlopende onderwerpen, waaronder seksualiteit, zwangerschap en ouderschap. Voor informatie is er de infotheek, maar ook begeleiding bij persoonlijke problemen is mogelijk.
  Op de website vind je een JAC in jouw buurt: www.jac.be. Je kunt ook online chatten met een van de medewerkers.

- **CENTRA VOOR LEERLINGENBEGELEIDING**
  Voor informatie, hulp en begeleiding ter ondersteuning van zowel directie, leerkrachten, leerlingen als ouders. www.ond.vlaanderen.be/clb.

- **EXPERTISECENTRA KRAAMZORG**
  Voor zwangere vrouwen en moeders met vragen over zwangerschap, geboorte, kraamzorg, borstvoeding enz. Naast een documentatiecentrum kun je er ook terecht voor persoonlijk advies, workshops en infosessies. Je vindt een expertisecentrum in elke Vlaamse provincie en in Brussel. www.expertisecentrakraamzorg.be.

- **KIND EN GEZIN-LIJN**
  Voor informatie en advies over zwangerschap, opvoeding enz. Ook voor een afspraak in een consultatiebureau, een zwangerschapspakket en vragen over kinderopvang.
  Van maandag tot vrijdag tussen 8.00 en 20.00 uur.
  tel. 078/150 100

- **INTEGRALE LAAGDREMPELIG OPVOEDINGS-ONDERSTEUNINGSPUNTEN** (Inloopteams):
  Preventieve ondersteuning van kansarme zwangere gezinnen en kansarme gezinnen met kinderen tussen 0 en 3 jaar (tot 6 jaar voor niet-schoolgaande kinderen) door groepsbegeleidingen rond thema's zoals opvoeding en verzorging. Tevens individuele ondersteuning, bemiddeling en begeleide doorverwijzing.
  Voor een inloopteam in jouw buurt: http://www.kindengezin. be/gezinsondersteuning/na-de-geboorte/inloopteams.

- **CENTRA VOOR KINDERZORG EN GEZINSONDERSTEUNING**
  Voor begeleiding van gezinnen met kinderen tussen 0 en 12 jaar, waar zowel langdurige ondersteuning als acute hulp mogelijk is. Daarom staan zij 24 uur per dag ter beschikking. Mogelijkheden zijn mobiele begeleiding (aan huis), ambulante begeleiding met de mogelijkheid om je kind een deel van de dag op te vangen en residentiële opvang van je kind in een leefgroep.
  Voor een CKG in jouw buurt: www.ckg.be.

DANKWOORD

Een woord van dank...

... aan de geïnterviewde personen die ons het vertrouwen gaven om even hun leven in en uit te wandelen om naar een heel intiem en persoonlijk aspect ervan te luisteren en om anderen hierin te laten delen;

... aan Patricia, Roel, Karen, Ann, Bert, Klaartje en Britt voor hun vrijwillig engagement om onze interviews te helpen uittypen;

... aan Pros voor de nauwkeurige lezing van de teksten;

... aan Ilse Cartonez, onze fotografe die op enkele activiteiten van onze Jong & Ouderwerking aanwezig was, waardoor we de tienerouders ook via beelden kunnen laten spreken;

... aan het hele cRZ-team voor hun medewerking aan de interviews, de morele ondersteuning en zinvolle bedenkingen;

... aan Lannoo voor de goede samenwerking en het geloof in de waarde en het belang van dit boek.

WAT IS HET CRZ?

cRZ is een expertise- en ervaringscentrum met een hulpaanbod voor meisjes en vrouwen en hun omgeving die door hun zwangerschap geconfronteerd worden met het nemen of verwerken van een moeilijke beslissing én voor de hulpverleners die met deze meisjes of vrouwen in contact komen. Het cRZ beoogt zwangerschapsbeleving aan de oppervlakte te brengen en de kwaliteit rond het nemen van en leven met beslissingen inzake zwangerschap te stimuleren. Daarnaast beoogt het cRZ een stem te zijn in het maatschappelijke debat door via informatie en sensibilisering de moeilijke thema's rond zwangerschapsbeleving bespreekbaar te maken.

Concreet richten wij ons op vier domeinen: ongeplande zwangerschap, tienerzwangerschap, postabortus en prenatale diagnose.

CRZ- EXPERTISECENTRUM VOOR HULPVERLENERS

Het aanbod voor hulpverleners omvat vorming, coaching, intervisie, consulting, studiedagen en publicaties.

cRZ beschikt hiertoe over een team van professionele medewerkers die expertise verwerven door het opvolgen van (inter)nationale literatuur en onderzoek, door begeleiding van studenten en door het contact met de doelgroepen via een eigen hulpaanbod.

cRZ streeft daarbij naar een voortdurende toetsing van en wisselwerking tussen theorie en praktijk. Daartoe gaat het cRZ regionale samenwerkingsverbanden aan en ontwikkelde routekaarten voor hulpverleners in functie van actieve beslissingsbegeleiding van ongeplande zwangerschap en tienerzwangerschap (zie www.crz.be).

DOELGROEP

Zwangere meisjes of vrouwen en hun sociale omgeving die een beslissings- of verwerkingsproces doormaken in verband met hun zwangerschap. Bij de begeleiding van enerzijds het nemen van een beslissing over het verloop van hun zwangerschap of anderzijds bij het verwerken van die beslissing staat de beleving centraal, samen met het perspectief van het (ongeboren) kind. De relationele context van het betrokken meisje of de vrouw krijgt hierbij expliciet aandacht en de partner, ouders of andere vertrouwenspersonen kunnen actief betrokken worden in de begeleiding of kunnen hun eigen hulpvraag stellen.

CONCREET

cRZ-luistertelefoon bij ongeplande zwangerschap:
tel. 078/15 30 45
Van maandag tot donderdag, van 9.00 tot 16.00 uur door een professionele cRZ-medewerker en elke avond (ook in het weekend en op feestdagen) van 18.00 tot 22.00 uur door een gevormde vrijwilliger. De cRZ-luistertelefoon is een hulplijn voor alle vragen over ongeplande zwangerschap. De hulplijn richt zich in de eerste plaats op de vrouwen zelf, maar biedt ook informatie en steun aan de omgeving (partner, ouders, leerkrachten...). Als er professionele hulp nodig is, wordt er gericht doorverwezen.

cRZ-begeleiding van tienerzwangeren, tienerouders en hun sociale omgeving

Het cRZ organiseert beslissings- en begeleidingsgesprekken voor zwangere tieners, tienerouders en hun omgeving. Er is aandacht voor het beslissingsproces, de beleving van de zwangerschap, het prille ouderschap alsook de betrokkenheid van tienervaders en ouders van tienerouders. De gesprekken kunnen vastgelegd worden na telefonische afspraak op tel. 016/38 69 50.

Daarnaast organiseert en faciliteert cRZ lotgenotencontact via cRZ-Jong & Ouderfacebookpagina (met onder andere chatsessies met een cRZ-medewerker), ontmoetingdagen en cRZ-Jong & Moederweekends.

De cRZ-Jong & Moederweekends zijn er voor jonge mama's (in spe) en hun kinderen. Tijdens de weekends steken de jonge mama's iets op over opvoeding, omgaan met een (nieuwe) partner, de betekenis van zwangerschap en bevalling... Daarnaast is er ook tijd om samen met andere jonge mama's leuke dingen te doen: babyzwemmen, film kijken of gezellig kletsen.

Via ontmoeting wil het cRZ stimulansen geven aan de maatschappelijke weerbaarheid en persoonlijke groei van tienerouders.

Voor meer informatie, surf naar *www.tienerzwangerschap.be*. Voor tienermoeders en tienervaders is er een specifieke website: www.tienermoeders.be.

cRZ-begeleiding na abortus, ook voor tienermeisjes

Het cRZ organiseert gespecialiseerde begeleiding voor meisjes en vrouwen die verwerkingsproblemen ondervinden na hun abortus, vanaf 16 jaar. Deze begeleiding kan zowel individueel als in groep.

De groepsbegeleiding bestaat uit 7 sessies. Er wordt ingegaan op de invloed van de abortus op het zelfbeeld, het moederschap, de relatie met de partner, het gezin en de ruimere omgeving. De gesprekken kunnen vastgelegd worden na telefonische afspraak op het nummer tel. 0477/96 37 79. Voor meer informatie, surf naar www.postabortus.be.

Infolijn Prenatale Diagnose: tel. 078/15 35 55

Van maandag tot vrijdag, tussen 9.00 en 17.00 uur.

Bij de Infolijn Prenatale Diagnose kan men terecht voor alle vragen over prenatale tests, testresultaten en beslissingen. Deze infolijn kan uiteraard nooit een gesprek met de eigen huisarts, vroedvrouw, gynaecoloog of geneticus vervangen. De bedoeling van de Infolijn Prenatale Diagnose is een aanvullend aanbod te bieden, met een lage drempel om mensen voorbereidend of volgend op een afspraak te kunnen opvangen en zo volledig mogelijk te informeren, zodat zij zelf verantwoord kunnen kiezen en beslissen.

cRZ-begeleiding bij zwangerschapsafbreking na prenatale diagnose

Het cRZ organiseert begeleidingsgesprekken voor vrouwen en/of koppels die willen praten over hun moeilijkheden of verwerking na een zwangerschapsafbreking.
Er is aandacht voor het beslissingsproces en de verantwoordelijkheid van de keuze, naast een aantal specifieke factoren die de rouwverwerking kunnen bemoeilijken.
De gesprekken kunnen vastgelegd worden na telefonische afspraak op het nummer tel. 016/38 69 50.
Voor meer informatie, surf naar www.prenatalediagnose.be.

Contact

cRZ (centrum voor Relatievorming en Zwangerschapsproblemen)
Geldenaaksebaan 277, 3001 Heverlee
tel. 016/38 69 50 – info@crz.be – www.crz.be.

www.lannoo.com

Registreer u op onze website en we sturen u regelmatig
een nieuwsbrief met informatie over nieuwe boeken en met interessante,
exclusieve aanbiedingen.

Omslagillustratie: Shutterstock
Illustraties binnenwerk: © cRZ
Vormgeving binnenwerk: www.armeedeverre.be

© Uitgeverij Lannoo nv, Tielt, 2011, Ellen Van Stichel en Katleen Alen
D/2011/45/550 - ISBN 978 90 209 9969 3 - NUR 850/854